Lantier

Émile Zola

Lantier

Le samedi suivant, Coupeau, qui n'était pas rentré dîner, amena Lantier vers dix heures. Ils avaient mangé ensemble des pieds de mouton, chez Thomas, à Montmartre.

Faut pas gronder, la bourgeoise, dit le zingueur. Nous sommes sages, tu vois... Oh! il n'y a pas de danger avec lui; il vous met droit dans le bon chemin.

Et il raconta comment ils s'étaient rencontrés rue Rochechouart. Après le dîner, Lantier avait refusé une consommation au café de la Boule noire, en disant que, lorsqu'on était marié avec une femme gentille et honnête, on ne devait pas gouaper dans tous les bastringues. Gervaise écoutait avec un petit sourire. Bien sûr, non, elle ne songeait pas à gronder; elle se sentait trop gênée. Depuis la fête, elle s'attendait bien à revoir son ancien amant un jour ou l'autre; mais, à pareille heure, au moment de se mettre au lit, l'arrivée brusque des deux hommes l'avait surprise; et, les mains tremblantes, elle rattachait son chignon roulé dans son cou.

Tu ne sais pas, reprit Coupeau, puisqu'il a eu la délicatesse de refuser dehors une consommation, tu vas nous payer la goutte... Ah! tu nous dois bien ça!

Les ouvrières étaient parties depuis longtemps. Maman Coupeau et Nana venaient de se coucher. Alors, Gervaise, qui tenait déjà un volet quand ils avaient paru, laissa la boutique ouverte, apporta sur un coin de l'établi des verres et le fond d'une bouteille de cognac. Lantier restait debout, évitait de lui adresser directement la parole. Pourtant, quand elle le servit, il s'écria:

Une larme seulement, madame, je vous prie.

Coupeau les regarda, s'expliqua très carrément. Ils n'allaient pas faire les dindes, peutêtre! Le passé était le passé, n'estce pas? Si on conservait de la rancune après des neuf ans et des dix ans, on finirait par ne plus voir personne. Non, non, il avait le coeur sur la main, lui! D'abord, il savait à qui il avait affaire, à une brave femme et à un brave homme, à deux amis, quoi! Il était tranquille, il connaissait leur honnêteté.

Oh! bien sûr... bien sûr... répétait Gervaise, les paupières baissées, sans comprendre ce qu'elle disait.

C'est une soeur, maintenant, rien qu'une soeur! murmura à son tour
Lantier.

Donnezvous la main, nom de Dieu! cria Coupeau, et foutonsnous des bourgeois! Quand on a de ça dans le coco, voyezvous, on est plus chouette que les millionnaires. Moi, je mets l'amitié avant tout, parce que l'amitié, c'est l'amitié, et qu'il n'y a rien audessus.

Il s'enfonçait de grands coups de poing dans l'estomac, l'air si ému, qu'ils durent le calmer. Tous trois, en silence, trinquèrent et burent leur goutte. Gervaise put alors regarder Lantier à son aise; car, le soir de la fête, elle l'avait vu dans un brouillard. Il s'était épaissi, gras et rond, les jambes et les bras lourds, à cause de sa petite taille. Mais sa figure gardait de jolis traits sous la bouffissure de sa vie de fainéantise; et comme il soignait toujours beaucoup ses minces moustaches, on lui aurait donné juste son âge, trentecinq ans. Ce jourlà, il portait un pantalon gris et un paletot gros bleu comme un monsieur, avec un chapeau rond; même il avait une montre et une chaîne d'argent, à laquelle pendait une bague, un souvenir.

Je m'en vais, ditil. Je reste au diable.

Il était déjà sur le trottoir, lorsque le zingueur le rappela pour lui faire promettre de ne plus passer devant la porte sans leur dire un petit bonjour. Cependant, Gervaise, qui venait de disparaître doucement, rentra en poussant devant elle Étienne, en manches de chemise, la face déjà endormie. L'enfant souriait, se frottait les yeux. Mais quand il aperçut Lantier, il resta tremblant et gêné, coulant des regards inquiets du côté de sa mère et de Coupeau.

Tu ne reconnais pas ce monsieur? demanda celuici.

L'enfant baissa la tête sans répondre. Puis, il eut un léger signe pour dire qu'il reconnaissait le monsieur.

Eh bien! ne fais pas la bête, va l'embrasser.

Lantier, grave et tranquille, attendait. Lorsque Étienne se décida à s'approcher, il se courba, tendit les deux joues, puis posa luimême un gros baiser sur le front du gamin. Alors, celuici osa regarder son père. Mais, tout d'un coup, il éclata en sanglots, il se sauva comme un fou, débraillé, grondé par Coupeau qui le traitait de sauvage.

C'est l'émotion, dit Gervaise, pâle et secouée ellemême.

Oh! il est très doux, très gentil d'habitude, expliquait Coupeau. Je l'ai crânement élevé, vous verrez... Il s'habituera à vous. Il faut qu'il connaisse les gens... Enfin, quand il n'y aurait eu que ce petit, on ne pouvait pas rester toujours brouillé, n'estce pas? Nous aurions dû faire ça pour lui il y a beaux jours, car je donnerais plutôt ma tête à couper que d'empêcher un père de voir son enfant.

Làdessus, il parla d'achever la bouteille de cognac. Tous trois trinquèrent de nouveau. Lantier ne s'étonnait pas, avait un beau calme. Avant de s'en aller, pour rendre ses politesses au zingueur, il voulut absolument fermer la boutique avec lui. Puis, tapant dans ses mains par propreté, il souhaita une bonne nuit au ménage.

Dormez bien. Je vais tâcher de pincer l'omnibus... Je vous promets de revenir bientôt.

A partir de cette soirée, Lantier se montra souvent rue de la Goutted'Or. Il se présentait quand le zingueur était là, demandant de ses nouvelles dès la porte, affectant d'entrer uniquement pour lui. Puis, assis contre la vitrine, toujours en paletot, rasé et peigné, il causait poliment, avec les manières d'un homme qui aurait reçu de l'instruction. C'est ainsi que les Coupeau apprirent peu à peu des détails sur sa vie. Pendant les huit dernières années, il avait un moment dirigé une fabrique de chapeaux; et quand on lui demandait pourquoi il s'était retiré, il se contentait de parler de la coquinerie d'un associé, un compatriote, une canaille qui avait mangé la maison avec les femmes. Mais son ancien titre de patron restait sur toute sa personne comme une noblesse à laquelle il ne pouvait plus déroger. Il se disait sans cesse près de conclure une affaire superbe, des maisons de chapellerie devaient l'établir, lui confier des intérêts énormes. En attendant, il ne faisait absolument rien, se promenait au soleil, les mains dans les poches, ainsi qu'un bourgeois. Les jours où il se plaignait, si l'on se risquait à lui indiquer une manufacture demandant des ouvriers, il semblait pris d'une pitié souriante, il n'avait pas envie de crever la faim, en s'échinant pour les autres. Ce gaillardlà, toutefois, comme disait Coupeau, ne vivait pas de l'air du temps. On! c'était un malin, il savait s'arranger, il bibelotait quelque commerce, car enfin il montrait une figure de prospérité, il lui fallait bien de l'argent pour se payer du linge blanc et des cravates de fils de famille. Un matin, le zingueur l'avait vu se faire cirer, boulevard Montmartre. La vraie vérité était que Lantier, très bavard sur les autres, se taisait ou mentait quand il s'agissait de lui. Il ne voulait même pas dire où il demeurait. Non, il logeait chez un ami, làbas, au diable, le temps de trouver une belle situation; et il défendait aux gens de venir le voir, parce qu'il n'y était jamais.

On rencontre dix positions pour une, expliquaitil souvent. Seulement, ce n'est pas la peine d'entrer dans des boîtes où l'on ne restera pas vingtquatre heures... Ainsi, j'arrive un lundi chez Champion, à Montrouge. Le soir, Champion m'embête sur la politique; il n'avait pas les mêmes idées que moi. Eh bien! le mardi matin, je filais, attendu que nous ne sommes plus au temps des esclaves et que je ne veux pas me vendre pour sept francs par jour.

On était alors dans les premiers jours de novembre. Lantier apporta galamment des bouquets de violettes, qu'il distribuait à Gervaise et aux deux ouvrières. Peu à peu, il multiplia ses visites, il vint presque tous les jours. Il paraissait vouloir faire la conquête de la maison, du quartier entier; et il commença par séduire Clémence et madame Putois, auxquelles il témoignait, sans distinction d'âge, les attentions les plus empressées. Au bout d'un mois, les deux ouvrières l'adoraient. Les Boche, qu'il flattait beaucoup en allant les saluer dans leur loge, s'extasiaient sur sa politesse. Quant aux Lorilleux, lorsqu'ils surent quel était ce monsieur, arrivé au dessert, le jour de la fête, ils vomirent d'abord mille horreurs contre Gervaise, qui osait introduire ainsi son ancien individu dans son ménage. Mais, un jour, Lantier monta chez eux, se présenta si bien en leur commandant une chaîne pour une dame de sa connaissance, qu'ils lui dirent de s'asseoir et le gardèrent une heure, charmés de sa conversation; même, ils se demandaient comment un homme si distingué avait pu vivre avec la Banban. Enfin, les visites du chapelier chez les Coupeau n'indignaient plus personne et semblaient naturelles, tant il avait réussi à se mettre dans les bonnes grâces de toute la rue de la Goutted'Or. Goujet seul restait sombre. S'il se trouvait là, quand l'autre arrivait, il prenait la porte, pour ne pas être obligé de lier connaissance avec ce particulier.

Cependant, au milieu de cette coqueluche de tendresse pour Lantier, Gervaise, les premières semaines, vécut dans un grand trouble. Elle éprouvait au creux de l'estomac cette chaleur dont elle s'était sentie brûlée, le jour des confidences de Virginie. Sa grande peur venait de ce qu'elle redoutait d'être sans force, s'il la surprenait un soir toute seule et s'il s'avisait de l'embrasser. Elle pensait trop à lui, elle restait trop pleine de lui. Mais, lentement, elle se calma, en le voyant si convenable, ne la regardant pas en face, ne la touchant pas du bout des doigts, quand les autres avaient le dos tourné. Puis, Virginie, qui semblait lire en elle, lui faisait honte de ses vilaines pensées. Pourquoi tremblaitelle? On ne pouvait pas rencontrer un homme plus gentil. Bien sûr, elle n'avait plus rien à craindre. Et la grande brune manoeuvra un jour de façon à les pousser tous deux dans un coin et à mettre la conversation sur le sentiment. Lantier déclara d'une voix grave, en choisissant les termes, que son coeur était mort, qu'il voulait désormais se consacrer uniquement au bonheur de son fils. Il ne parlait jamais de Claude, qui était toujours dans le Midi. Il embrassait Étienne sur le front tous les soirs, ne savait que lui dire si l'enfant restait là, l'oubliait pour entrer en compliments avec Clémence. Alors, Gervaise, tranquillisée, sentit mourir en elle le passé. La présence de Lantier usait ses souvenirs de Plassans et de l'hôtel Boncoeur. A le voir sans cesse, elle ne le rêvait plus. Même elle se trouvait prise d'une répugnance à la pensée de leurs anciens rapports. Oh! c'était fini, bien fini. S'il osait un jour lui demander ça, elle lui répondrait par une paire de claques, elle instruirait plutôt son mari. Et, de nouveau, elle songeait sans remords, avec une douceur extraordinaire, à la bonne amitié de Goujet.

En arrivant un matin à l'atelier, Clémence raconta qu'elle avait rencontré la veille, vers onze heures, monsieur Lantier donnant le bras à une femme. Elle disait cela en mots très sales, avec de la méchanceté pardessous, pour voir la tête de la patronne. Oui, monsieur Lantier grimpait la rue NotreDame de Lorette; la femme était blonde, un de ces chameaux du boulevard à moitié crevés, le derrière nu sous leur robe de soie. Et elle les avait suivis, par blague. Le chameau était entré chez un charcutier acheter des crevettes et du jambon. Puis, rue de La Rochefoucauld, monsieur Lantier avait posé sur le trottoir, devant la maison, le nez en l'air, en attendant que la petite, montée toute seule, lui eût fait par la fenêtre le signe de la rejoindre. Mais Clémence eût beau ajouter des commentaires dégoûtants, Gervaise continuait à repasser tranquillement une robe blanche. Par moments, l'histoire lui mettait aux lèvres un petit sourire. Ces Provençaux, disaitelle, étaient tous enragés après les femmes; il leur en fallait quand même; ils en auraient ramassé sur une pelle dans un tas d'ordures. Et, le soir, quand le chapelier arriva, elle s'amusa des taquineries de Clémence, qui l'intriguait avec sa blonde. D'ailleurs, il semblait flatté d'avoir été aperçu. Mon Dieu! c'était une ancienne amie, qu'il voyait encore de temps à autre, lorsque ça ne devait déranger personne; une fille très chic, meublée en palissandre, et il citait d'anciens amants à elle, un vicomte, un grand marchand de faïence, le fils d'un notaire. Lui, aimait les femmes qui embaument. Il poussait sous le nez de Clémence son mouchoir, que la petite lui avait parfumé, lorsque Étienne rentra. Alors, il prit son air grave, il baisa l'enfant, en ajoutant que la rigolade ne tirait pas à conséquence et que son coeur était mort. Gervaise, penchée sur son ouvrage, hocha la tête d'un air d'approbation. Et ce fut encore Clémence qui porta la peine de sa méchanceté, car elle avait bien senti Lantier la pincer déjà deux ou trois fois, sans avoir l'air, et elle crevait de jalousie de ne pas puer le musc comme le chameau du boulevard.

Quand le printemps revint, Lantier, tout à fait de la maison parla d'habiter le quartier, afin d'être plus près de ses amis. Il voulait une chambre meublée dans une maison propre. Madame Boche, Gervaise ellemême, se mirent en quatre pour lui trouver ça. On fouilla les rues voisines. Mais il était trop difficile, il désirait une grande cour, il demandait un rezdechaussée, enfin toutes les commodités imaginables. Et maintenant, chaque soir, chez les Coupeau, il semblait mesurer la hauteur des plafonds, étudier la distribution des pièces, convoiter un logement pareil. Oh! il n'aurait pas demandé autre chose, il se serait volontiers creusé un trou dans ce coin tranquille et chaud. Puis, il terminait chaque fois son examen par cette phrase:

Sapristi, vous êtes joliment bien, tout de même!

Un soir, comme il avait dîné là et qu'il lâchait sa phrase au dessert,
Coupeau, qui s'était mis à le tutoyer, lui cria brusquement:
Faut rester ici, ma vieille, si le coeur t'en dit... On s'arrangera...

Et il expliqua que la chambre au linge sale, nettoyée, ferait une jolie pièce. Étienne coucherait dans la boutique, sur un matelas jeté par terre, voilà tout.

Non, non, dit Lantier, je ne puis pas accepter. Ça vous gênerait trop. Je sais que c'est de bon coeur, mais on aurait trop chaud les uns sur les autres... Puis, vous savez, chacun sa liberté. Il me faudrait traverser votre chambre, et ça ne serait pas toujours drôle.

Ah! l'animal! reprit le zingueur étranglant de rire, tapant sur la table pour s'éclaircir la voix, il songe toujours aux bêtises!... Mais, bougre de serin, on est inventif! Pas vrai? il y a deux fenêtres, dans la pièce. Eh bien! on en colle une par terre, on en fait une porte. Alors, comprendstu, tu entres par la cour, nous bouchons même cette porte de communication, si ça nous plaît. Ni vu ni connu, tu es chez toi, nous sommes chez nous.

Il y eut un silence. Le chapelier murmurait:

Ah! oui, de cette façon, je ne dis pas... Et encore non, je serais trop sur votre dos.

Il évitait de regarder Gervaise. Mais il attendait évidemment un mot de sa part pour accepter. Celleci était très contrariée de l'idée de son mari; non pas que la pensée de voir Lantier demeurer chez eux la blessât ni l'inquiétât beaucoup; mais elle se demandait où elle mettrait son linge sale. Cependant, la zingueur faisait valoir les avantages de l'arrangement. Le loyer de cinq cents francs avait toujours été un peu fort. Eh bien! le camarade leur paierait la chambre toute meublée vingt francs par mois; ce ne serait pas cher pour lui, et ça les aiderait au moment du terme. Il ajouta qu'il se chargeait de manigancer, sous leur lit, une grande caisse où tout le linge sale du quartier pourrait tenir. Alors, Gervaise hésita, parut consulter du regard maman Coupeau, que Lantier avait conquise depuis des mois, en lui apportant des boules de gomme pour son catarrhe.

Vous ne nous gêneriez pas, bien sûr, finitelle par dire. Il y aurait moyen de s'organiser...

Non, non, merci, répéta le chapelier. Vous êtes trop gentils, ce serait abuser.

Coupeau, cette fois, éclata. Estce qu'il allait faire son andouille encore longtemps? Quand on lui disait que c'était de bon coeur! Il leur rendrait service, là, comprenaitil! Puis, d'une voix furibonde, il gueula:

Étienne! Étienne!

Le gamin s'était endormi sur la table. Il leva la tête en sursaut. Écoute, dislui que tu le veux... Oui, à ce monsieurlà... Dislui bien fort: Je le veux!

Je le veux! bégaya Étienne, la bouche empâtée de sommeil.

Tout le monde se mit à rire. Mais Lantier reprit bientôt son air grave et pénétré. Il serra la main de Coupeau, pardessus la table, en disant:

J'accepte... C'est de bonne amitié de part et d'autre, n'estce pas? Oui, j'accepte pour l'enfant.

Dès le lendemain, le propriétaire, M. Marescot, étant venu passer une heure dans la loge des Boche, Gervaise lui parla de l'affaire. Il se montra d'abord inquiet, refusant, se fâchant, comme si elle lui avait demandé d'abattre toute une aile de sa maison. Puis, après une inspection minutieuse des lieux, lorsqu'il eut regardé en l'air pour voir si les étages supérieurs n'allaient pas être ébranlés, il finit par donner l'autorisation, mais à la condition de ne supporter aucuns frais; et les Coupeau durent lui signer un papier, dans lequel ils s'engageaient à rétablir les choses en l'état, à l'expiration de leur bail. Le soir même, le zingueur amena des camarades, un maçon, un menuisier, un peintre, de bons zigs qui feraient cette bricolelà après leur journée, histoire de rendre service. La pose de la nouvelle porte, le nettoyage de la pièce, n'en coûtèrent pas moins une centaine de francs, sans compter les litres dont on arrosa la besogne. Le zingueur dit aux camarades qu'il leur paierait ça plus tard, avec le premier argent de son locataire. Ensuite, il fut question de meubler la pièce. Gervaise y laissa l'armoire de maman Coupeau; elle ajouta une table et deux chaises, prises dans sa propre chambre; il lui fallut enfin acheter une tabletoilette et un lit, avec la literie complète, en tout cent trente francs, qu'elle devait payer à raison de dix francs par mois. Si, pendant une dizaine de mois, les vingt francs de Lantier se trouvaient mangés à l'avance par les dettes contractées, plus tard il y aurait un joli bénéfice.

Ce fut dans les premiers jours de juin que l'installation du chapelier eut lieu. La veille, Coupeau avait offert d'aller avec lui chercher sa malle, pour lui éviter les trente sous d'un fiacre. Mais l'autre était resté gêné, disant que sa malle pesait trop lourd, comme s'il avait voulu cacher jusqu'au dernier moment l'endroit où il logeait. Il arriva dans l'aprèsmidi, vers trois heures. Coupeau ne se trouvait pas là. Et Gervaise, à la porte de la boutique, devint toute pâle, en reconnaissant la malle sur le fiacre. C'était leur ancienne malle, celle avec laquelle elle avait fait le voyage de Plassans, aujourd'hui écorchée, cassée, tenue par des cordes. Elle la voyait revenir comme souvent elle l'avait rêvé, et elle pouvait s'imaginer que le même fiacre, le fiacre où cette garce de brunisseuse s'était fichue d'elle, la lui rapportait. Cependant, Boche donnait un coup de main à Lantier. La blanchisseuse les suivit, muette, un peu étourdie. Quand ils eurent déposé leur fardeau au milieu de la chambre, elle dit pour parler:

Hein? voilà une bonne affaire de faite?

Puis, se remettant, voyant que Lantier, occupé à dénouer les cordes, ne la regardait seulement pas, elle ajouta:

Monsieur Boche, vous allez boire un coup.

Et elle alla chercher un litre et des verres. Justement, Poisson, en tenue, passait sur le trottoir. Elle lui adressa un petit signe, clignant les yeux, avec un sourire. Le sergent de ville comprit parfaitement. Quand il était de service, et qu'on battait de l'oeil, ça voulait dire qu'on lui offrait un verre de vin. Même, il se promenait des heures devant la blanchisseuse, à attendre qu'elle battît de l'oeil. Alors, pour ne pas être vu, il passait par la cour, il sifflait son verre en se cachant.

Ah! ah! dit Lantier, quand il le vit entrer, c'est vous, Badingue!

Il l'appelait Badingue par blague, pour se ficher de l'empereur. Poisson acceptait ça de son air raide, sans qu'on pût savoir si ça l'embêtait au fond. D'ailleurs, les deux hommes, quoique séparés par leurs convictions politiques, étaient devenus très bons amis.

Vous savez que l'empereur a été sergent de ville à Londres, dit à son tour Boche. Oui, ma parole! il ramassait les femmes soûles.

Gervaise pourtant avait rempli trois verres sur la table. Elle, ne voulait pas boire, se sentait le coeur tout barbouillé. Mais elle restait, regardant Lantier enlever les dernières cordes, prise du besoin de savoir ce que contenait la malle. Elle se souvenait, dans un coin, d'un tas de chaussettes, de deux chemises sales, d'un vieux chapeau. Estce que ces choses étaient encore là? estce qu'elle allait retrouver les loques du passé? Lantier, avant de soulever le couvercle, prit son verre et trinqua.

A votre santé.

A la vôtre, répondirent Boche et Poisson.

La blanchisseuse remplit de nouveau les verres. Les trois hommes s'essuyaient les lèvres de la main. Enfin, le chapelier ouvrit la malle. Elle était pleine d'un pêlemêle de journaux, de livres, de vieux vêtements, de linge en paquets. Il en tira successivement une casserole, une paire de bottes, un buste de LedruRollin avec le nez cassé, une chemise brodée, un pantalon de travail. Et Gervaise, penchée, sentait monter une odeur de tabac, une odeur d'homme malpropre, qui soigne seulement le dessus, ce qu'on voit de sa personne. Non, le vieux chapeau n'était plus dans le coin de gauche. Il y avait là une pelote qu'elle ne connaissait pas, quelque cadeau de femme. Alors, elle se calma, elle éprouva une vague tristesse, continuant à suivre les objets, en se demandant s'ils étaient de son temps ou du temps des autres.

Dites donc, Badingue, vous ne connaissez pas ça? reprit Lantier.

Il lui mettait sous le nez un petit livre imprimé à Bruxelles: les Amours de Napoléon III, orné de gravures. On y racontait, entre autres anecdotes, comment l'empereur avait séduit la fille d'un cuisinier, âgée de treize ans; et l'image représentait Napoléon III, les jambes nues, ayant gardé seulement le grand cordon de la Légion d'honneur, poursuivant une gamine qui se dérobait à sa luxure.

Ah! c'est bien ça! s'écria Boche, dont les instincts sournoisement voluptueux étaient flattés. Ça arrive toujours comme ça!

Poisson restait saisi, consterné; et il ne trouvait pas un mot pour défendre l'empereur. C'était dans un livre, il ne pouvait pas dire non. Alors, Lantier lui poussant toujours l'image sous le nez d'un air goguenard, il laissa échapper ce cri, en arrondissant les bras:

Eh bien, après? Estce que ce n'est pas dans la nature?

Lantier eut le bec cloué par cette réponse. Il rangea ses livres et ses journaux sur une planche de l'armoire; et comme il paraissait désolé de ne pas avoir une petite bibliothèque, pendue audessus de la table, Gervaise promit de lui en procurer une. Il possédait l'Histoire de dix ans, de Louis Blanc, moins le premier volume, qu'il n'avait jamais eu d'ailleurs, les Girondins, de Lamartine, en livraisons à deux sous, les Mystères de Paris et le JuifErrant, d'Eugène Sue, sans compter un tas de bouquins philosophiques et humanitaires, ramassés chez les marchands de vieux clous. Mais il couvait surtout ses journaux d'un regard attendri et respectueux. C'était une collection faite par lui, depuis des années. Chaque fois qu'au café il lisait dans un journal un article réussi et selon ses idées, il achetait le journal, il le gardait. Il en avait ainsi un paquet énorme, de toutes les dates et de tous les titres, empilés sans ordre aucun. Quand il eut sorti ce paquet du fond de la malle, il donna dessus des tapes amicales, en disant aux deux autres:

Vous voyez ça? eh bien, c'est à papa, personne ne peut se flatter d'avoir quelque chose d'aussi chouette... Ce qu'il y a là dedans, vous ne vous l'imaginez pas. C'estàdire que, si on appliquait la moitié de ces idées, ça nettoierait du coup la société. Oui, votre empereur et tous ses roussins boiraient un bouillon...

Mais il fut interrompu par le sergent de ville, dont les moustaches et l'impériale rouges remuaient dans sa face blême.

Et l'armée, dites donc qu'estce que vous en faites?

Alors, Lantier s'emporta. Il criait en donnant des coups de poing sur ses journaux:

Je veux la suppression du militarisme, la fraternité des peuples... Je veux l'abolition des privilèges, des titres et des monopoles... Je veux l'égalité des salaires, la répartition des bénéfices, la glorification du prolétariat... Toutes les libertés, entendezvous! toutes!... Et le divorce!

Oui, oui, le divorce, pour la morale! appuya Boche.

Poisson avait pris un air majestueux. Il répondit:

Pourtant, si je n'en veux pas de vos libertés, je suis bien libre.

Si vous n'en voulez pas, si vous n'en voulez pas... bégaya Lantier, que la passion étranglait. Non, vous n'êtes pas libre!... Si vous n'en voulez pas, je vous foutrai à Cayenne, moi! oui, à Cayenne, avec votre empereur et tous les cochons de sa bande!

Ils s'empoignaient ainsi, à chacune de leurs rencontres. Gervaise, qui n'aimait pas les discussions, intervenait d'ordinaire. Elle sortit de la torpeur où la plongeait la vue de la malle, toute pleine du parfum gâté de son ancien amour; et elle montra les verres aux trois hommes.

C'est vrai, dit Lantier, subitement calmé, prenant son verre. A la vôtre.

A la vôtre, répondirent Boche et Poisson, qui trinquèrent avec lui.

Cependant, Boche se dandinait, travaillé par une inquiétude, regardant le sergent de ville du coin de l'oeil.

Tout ça entre nous, n'estce pas, monsieur Poisson? murmuratil enfin. On vous montre et on vous dit des choses...

Mais Poisson ne le laissa pas achever. Il mit la main sur son coeur, comme pour expliquer que tout restait là. Il n'allait pas moucharder des amis, bien sûr. Coupeau étant arrivé, on vida un second litre. Le sergent de ville fila ensuite par la cour, reprit sur le trottoir sa marche raide et sévère, à pas comptés.

Dans les premiers temps, tout fut en l'air chez la blanchisseuse. Lantier avait bien sa chambre séparée, son entrée, sa clef; mais, comme au dernier moment on s'était décidé à ne pas condamner la porte de communication, il arrivait que, le plus souvent, il passait par la boutique. Le linge sale aussi embarrassait beaucoup Gervaise, car son mari ne s'occupait pas de la grande caisse dont il avait parlé; et elle se trouvait réduite à fourrer le linge un peu partout, dans les coins, principalement sous son lit, ce qui manquait d'agrément pendant les nuits d'été. Enfin, elle était très ennuyée d'avoir chaque soir à faire le lit d'Étienne au beau milieu de la boutique; lorsque les ouvrières veillaient, l'enfant dormait sur une chaise, en attendant. Aussi Goujet lui ayant parlé d'envoyer Étienne à Lille, où son ancien patron, un mécanicien, demandait des apprentis, elle fut séduite par ce projet, d'autant plus que le gamin, peu heureux à la maison, désireux d'être son maître, la suppliait de consentir. Seulement, elle craignait un refus net de la part de Lantier. Il était venu habiter chez eux, uniquement pour se rapprocher de son fils; il n'allait pas vouloir le perdre juste quinze jours après son installation. Pourtant, quand elle lui parla en tremblant de l'affaire, il approuva beaucoup l'idée, disant que les jeunes ouvriers ont besoin de voir du pays. Le matin où Étienne partit, il lui fit un discours sur ses droits, puis il l'embrassa, il déclama:

Souvienstoi que le producteur n'est pas un esclave, mais que quiconque n'est pas un producteur est un frelon.

Alors, le train train de la maison reprit, tout se calma et s'assoupit dans de nouvelles habitudes. Gervaise s'était accoutumée à la débandade du linge sale, aux allées et venues de Lantier. Celuici parlait toujours de ses grandes affaires; il sortait parfois, bien peigné, avec du linge blanc, disparaissait, découchait même, puis rentrait en affectant d'être éreinté, d'avoir la tête cassée, comme s'il venait de discuter, vingtquatre heures durant, les plus graves intérêts. La vérité était qu'il la coulait douce. Oh! il n'y avait pas de danger qu'il empoignât des durillons aux mains! Il se levait d'ordinaire vers dix heures, faisait une promenade l'aprèsmidi, si la couleur du soleil lui plaisait, ou bien, les jours de pluie, restait dans la boutique où il parcourait son journal. C'était son milieu, il crevait d'aise parmi les jupes, se fourrait au plus épais des femmes, adorant leurs gros mots, les poussant à en dire, tout en gardant luimême un langage choisi; et ça expliquait pourquoi il aimait tant à se frotter aux blanchisseuses, des filles pas bégueules. Lorsque Clémence lui dévidait son chapelet, il demeurait tendre et souriant, en tordant ses minces moustaches. L'odeur de l'atelier, ces ouvrières en sueur qui tapaient les fers de leurs bras nus, tout ce coin pareil à une alcôve où traînait le déballage des dames du quartier, semblait être pour lui le trou rêvé, un refuge longtemps cherché de paresse et de jouissance.

Dans les premiers temps, Lantier mangeait chez François, au coin de la rue des Poissonniers. Mais, sur les sept jours de la semaine, il dînait avec les Coupeau trois et quatre fois; si bien qu'il finit par leur offrir de prendre pension chez eux: il leur donnerait quinze francs chaque samedi. Alors, il ne quitta plus la maison, il s'installa tout à fait. On le voyait du matin au soir aller de la boutique à la chambre du fond, en bras de chemise, haussant la voix, ordonnant; il répondait même aux pratiques, il menait la baraque. Le vin de François lui ayant déplu, il persuada à Gervaise d'acheter désormais son vin chez Vigouroux, le charbonnier d'à côté, dont il allait pincer la femme avec Boche, en faisant les commandes. Puis, ce fut le pain de Coudeloup qu'il trouva mal cuit; et il envoya Augustine chercher le pain à la boulangerie viennoise du faubourg Poissonnière, chez Meyer. Il changea aussi Lehongre, l'épicier, et ne garda que le boucher de la rue Polonceau, le gros Charles, à cause de ses opinions politiques. Au bout d'un mois, il voulut mettre toute la cuisine à l'huile. Comme disait Clémence, en le blaguant, la tache d'huile reparaissait quand même chez ce sacré Provençal. Il faisait luimême les omelettes, des omelettes retournées des deux côtés, plus rissolées que des crêpes, si fermes qu'on aurait dit des galettes. Il surveillait maman Coupeau, exigeant les biftecks très cuits, pareils à des semelles de soulier, ajoutant de l'ail partout, se fâchant si l'on coupait de la fourniture dans la salade, des mauvaises herbes, criaitil, parmi lesquelles pouvait bien se glisser du poison. Mais son grand régal était un certain potage, du vermicelle cuit à l'eau, très épais, où il versait la moitié d'une bouteille d'huile. Lui seul en mangeait avec Gervaise, parce que les autres, les Parisiens, pour s'être un jour risqués à y goûter, avaient failli rendre tripes et boyaux.

Peu à peu, Lantier en était venu également à s'occuper des affaires de la famille. Comme les Lorilleux rechignaient toujours pour sortir de leur poche les cent sous de la maman Coupeau, il avait expliqué qu'on pouvait leur intenter un procès. Estce qu'ils se fichaient du monde! c'étaient dix francs qu'ils devaient donner par mois! Et il montait luimême chercher les dix francs, d'un air si hardi et si aimable, que la chaîniste n'osait pas les refuser. Maintenant, madame Lerat, elle aussi, donnait deux pièces de cent sous. Maman Coupeau aurait baisé les mains de Lantier, qui jouait en outre le rôle de grand arbitre, dans les querelles de la vieille femme et de Gervaise. Quand la blanchisseuse, prise d'impatience, rudoyait sa bellemère, et que celleci allait pleurer dans son lit, il les bousculait toutes les deux, les forçait à s'embrasser, en leur demandant si elles croyaient amuser le monde avec leurs bons caractères. C'était comme Nana: on l'élevait joliment mal, à son avis. En cela, il n'avait pas tort, car lorsque le père tapait dessus, la mère soutenait la gamine, et lorsque la mère à son tour cognait, le père faisait une scène. Nana, ravie de voir ses parents se manger, se sentant excusée à l'avance, commettait les cent dixneuf coups. A présent, elle avait inventé d'aller jouer dans la maréchalerie en face; elle se balançait la journée entière aux brancards des charrettes; elle se cachait avec des bandes de voyous au fond de la cour blafarde, éclairée du feu rouge de la forge;

et, brusquement, elle reparaissait, courant, criant, dépeignée et barbouillée, suivie de la queue des voyous, comme si une volée des marteaux venait de mettre ces saloperies d'enfants en fuite. Lantier seul pouvait la gronder; et encore elle savait joliment le prendre. Cette merdeuse de dix ans marchait comme une dame devant lui, se balançait, le regardait de côté, les yeux déjà pleins de vice. Il avait fini par se charger de son éducation: il lui apprenait à danser et à parler patois.

Une année s'écoula de la sorte. Dans le quartier, on croyait que Lantier avait des rentes, car c'était la seule façon de s'expliquer le grand train des Coupeau. Sans doute, Gervaise continuait à gagner de l'argent; mais maintenant qu'elle nourrissait deux hommes à ne rien faire, la boutique pour sûr ne pouvait suffire; d'autant plus que la boutique devenait moins bonne, des pratiques s'en allaient, les ouvrières godaillaient du matin au soir. La vérité était que Lantier ne payait rien, ni loyer ni nourriture. Les premiers mois, il avait donné des acomptes; puis, il s'était contenté de parler d'une grosse somme qu'il devait toucher, grâce à laquelle il s'acquitterait plus tard, en un coup. Gervaise n'osait plus lui demander un centime. Elle prenait le pain, le vin, la viande à crédit. Les notes montaient partout, ça marchait par des trois francs et des quatre francs chaque jour. Elle n'avait pas allongé un sou au marchand de meubles ni aux trois camarades, le maçon, le menuisier et le peintre. Tout ce monde commençait à grogner, on devenait moins poli pour elle dans les magasins. Mais elle était comme grisée par la fureur de la dette; elle s'étourdissait, choisissait les choses les plus chères, se lâchait dans sa gourmandise depuis qu'elle ne payait plus; et elle restait trèshonnête au fond, rêvant de gagner du matin au soir des centaines de francs, elle ne savait pas trop de quelle façon, pour distribuer des poignées de pièces de cent sous à ses fournisseurs. Enfin, elle s'enfonçait, et à mesure qu'elle dégringolait, elle parlait d'élargir ses affaires. Pourtant, vers le milieu de l'été, la grande Clémence était partie, parce qu'il n'y avait pas assez de travail pour deux ouvrières et qu'elle attendait son argent pendant des semaines. Au milieu de cette débâcle, Coupeau et Lantier se faisaient des joues. Les gaillards, attablés jusqu'au menton, bouffaient la boutique, s'engraissaient de la ruine de l'établissement; et ils s'excitaient l'un l'autre à mettre les morceaux doubles, et ils se tapaient sur le ventre en rigolant, au dessert, histoire de digérer plus vite.

Dans le quartier, le grand sujet de conversation était de savoir si réellement Lantier s'était remis avec Gervaise. Làdessus, les avis se partageaient. A entendre les Lorilleux, la Banban faisait tout pour repincer le chapelier, mais lui ne voulait plus d'elle, la trouvait trop décatie, avait en ville des petites filles d'une frimousse autrement torchée. Selon les Boche, au contraire, la blanchisseuse, dès la première nuit, s'en était allée retrouver son ancien époux, aussitôt que ce jeanjean de Coupeau avait ronflé. Tout ça, d'une façon comme d'une autre, ne semblait guère propre; mais il y a tant de saletés dans la vie, et de plus grosses, que les gens finissaient par trouver ce ménage à trois naturel, gentil même, car on ne s'y battait jamais et les convenances étaient gardées.

Certainement, si l'on avait mis le nez dans d'autres intérieurs du quartier, on se serait empoisonné davantage. Au moins, chez les Coupeau, ça sentait les bons enfants. Tous les trois se livraient à leur petite cuisine, se culottaient et couchotaient ensemble à la papa, sans empêcher les voisins de dormir. Puis, le quartier restait conquis par les bonnes manières de Lantier. Cet enjôleur fermait le bec à toutes les bavardes. Même, dans le doute où l'on se trouvait de ses rapports avec Gervaise, quand la fruitière niait les rapports devant la tripière, celleci semblait dire que c'était vraiment dommage, parce qu'enfin ça rendait les Coupeau moins intéressants.

Cependant, Gervaise vivait, tranquille de ce côté, ne pensait guère à ces ordures. Les choses en vinrent au point qu'on l'accusa de manquer de coeur. Dans la famille on ne comprenait pas sa rancune contre le chapelier. Madame Lerat, qui adorait se fourrer entre les amoureux, venait tous les soirs; et elle traitait Lantier d'homme irrésistible, dans les bras duquel les dames les plus huppées devaient tomber. Madame Boche n'aurait pas répondu de sa vertu, si elle avait eu dix ans de moins. Une conspiration sourde, continue, grandissait, poussait lentement Gervaise, comme si toutes les femmes, autour d'elle, avaient dû se satisfaire, en lui donnant un amant. Mais Gervaise s'étonnait, ne découvrait pas chez Lantier tant de séductions. Sans doute, il était changé à son avantage: il portait toujours un paletot, il avait pris de l'éducation dans les cafés et dans les réunions politiques. Seulement, elle qui le connaissait bien, lui voyait jusqu'à l'âme par les deux trous de ses yeux, et retrouvait là un tas de choses, dont elle gardait un léger frisson. Enfin, si ça plaisait tant aux autres, pourquoi les autres ne se risquaientelles pas à tâter du monsieur? Ce fut ce qu'elle laissa entendre un jour à Virginie, qui se montrait la plus chaude. Alors, madame Lerat et Virginie, pour lui monter la tête, lui racontèrent les amours de Lantier et de la grande Clémence. Oui, elle ne s'était aperçue de rien; mais, dès qu'elle sortait pour une course, le chapelier emmenait l'ouvrière dans sa chambre. Maintenant, on les rencontrait ensemble, il devait l'aller voir chez elle.

Eh bien? dit la blanchisseuse, la voix un peu tremblante, qu'estce que ça peut me faire?

Et elle regardait les yeux jaunes de Virginie, où des étincelles d'or luisaient, comme dans ceux des chats. Cette femme lui en voulait donc, qu'elle tâchait de la rendre jalouse? Mais la couturière prit son air bête, en répondant:

Ça ne peut rien vous faire, bien sûr... Seulement, vous devriez lui conseiller de lâcher cette fille avec laquelle il aura du désagrément.

Le pis était que Lantier se sentait soutenu et changeait de manières à l'égard de Gervaise. Maintenant, quand il lui donnait une poignée de mains, il lui gardait un instant les doigts entre les siens. Il la fatiguait de son regard, fixait sur elle des yeux hardis, où elle lisait nettement ce qu'il lui demandait. S'il passait derrière elle, il enfonçait les genoux dans ses jupes, soufflait sur son cou, comme pour l'endormir. Pourtant, il attendit encore, avant d'être brutal et de se déclarer. Mais, un soir, se trouvant seul avec elle, il la poussa devant lui sans dire une parole, l'accula tremblante contre le mur, au fond de la boutique, et là voulut l'embrasser. Le hasard fit que Goujet entra juste à ce moment. Alors, elle se débattit, s'échappa. Et tous trois échangèrent quelques mots, comme si de rien n'était. Goujet, la face toute blanche, avait baissé le nez, en s'imaginant qu'il les dérangeait, qu'elle venait de se débattre pour ne pas être embrassée devant le monde.

Le lendemain, Gervaise piétina dans la boutique, très malheureuse, incapable de repasser un mouchoir; elle avait besoin de voir Goujet, de lui expliquer comment Lantier la tenait contre le mur. Mais, depuis qu'Étienne était à Lille, elle n'osait plus entrer à la forge, où BecSalé, dit BoitsansSoif, l'accueillait, avec des rires sournois. Pourtant, l'aprèsmidi, cédant à son envie, elle prit un panier vide, elle partit sous le prétexte d'aller prendre des jupons chez sa pratique de la rue des PortesBlanches. Puis, quand elle fut rue Marcadet, devant la fabrique de boulons, elle se promena à petits pas, comptant sur une bonne rencontre. Sans doute, de son côté, Goujet devait l'attendre, car elle n'était pas là depuis cinq minutes, qu'il sortit comme par hasard.

Tiens! vous êtes en course, ditil en souriant faiblement; vous rentrez chez vous...

Il disait ça pour parler. Gervaise tournait justement le dos à la rue des Poissonniers. Et ils montèrent vers Montmartre, côte à côte, sans se prendre le bras. Ils devaient avoir la seule idée de s'éloigner de la fabrique, pour ne pas paraître se donner des rendezvous devant la porte. La tête basse, ils suivaient la chaussée défoncée, au milieu du ronflement des usines. Puis, à deux cents pas, naturellement, comme s'ils avaient connu l'endroit, ils filèrent à gauche, toujours silencieux, et s'engagèrent dans un terrain vague. C'était, entre une scierie mécanique et une manufacture de boutons, une bande de prairie restée verte, avec des plaques jaunes d'herbe grillée; une chèvre, attachée à un piquet, tournait en bêlant; au fond, un arbre mort s'émiettait au grand soleil.

Vrai! murmura Gervaise, on se croirait à la campagne.

Ils allèrent s'asseoir sous l'arbre mort. La blanchisseuse mit son panier à ses pieds. En face d'eux, la butte Montmartre étageait ses rangées de hautes maisons jaunes et grises, dans des touffes de maigre verdure; et, quand ils renversaient la tête davantage, ils apercevaient le large ciel d'une pureté ardente sur la ville, traversé au nord par un vol de petits nuages blancs. Mais la vive lumière les éblouissait, ils regardaient au ras de l'horizon plat les lointains crayeux des faubourgs, ils suivaient surtout la respiration du mince tuyau de la scierie mécanique, qui soufflait des jets de vapeur. Ces gros soupirs semblaient soulager leur poitrine oppressée.

Oui, reprit Gervaise embarrassée par leur silence, je me trouvais en course, j'étais sortie...

Après avoir tant souhaité une explication, tout d'un coup elle n'osait plus parler. Elle était prise d'une grande honte. Et elle sentait bien, cependant, qu'ils étaient venus là d'euxmêmes, pour causer de ça; même ils en causaient, sans avoir besoin de prononcer une parole. L'affaire de la veille restait entre eux comme un poids qui les gênait.

Alors, prise d'une tristesse atroce, les larmes aux yeux, elle raconta l'agonie de madame Bijard, sa laveuse, morte le matin, après d'épouvantables douleurs.

Ça venait d'un coup de pied que lui avait allongé Bijard, disaitelle d'une voix douce et monotone. Le ventre a enflé. Sans doute, il lui avait cassé quelque chose à l'intérieur. Mon Dieu! en trois jours, elle a été tortillée... Ah! il y a, aux galères, des gredins qui n'en ont pas tant fait. Mais la justice aurait trop de besogne, si elle s'occupait des femmes crevées par leurs maris. Un coup de pied de plus ou de moins, n'estce pas? ça ne compte pas, quand on en reçoit tous les jours. D'autant plus que la pauvre femme voulait sauver son homme de l'échafaud et expliquait qu'elle s'était abîmé le ventre en tombant sur un baquet... Elle a hurlé toute la nuit avant de passer.

Le forgeron se taisait, arrachait des herbes dans ses poings crispés.

Il n'y a pas quinze jours, continua Gervaise, elle avait sevré son dernier, le petit Jules; et c'est encore une chance, car l'enfant ne pâtira pas... N'importe, voilà cette gamine de Lalie chargée de deux mioches. Elle n'a pas huit ans, mais elle est sérieuse et raisonnable comme une vraie mère. Avec ça, son père la roue de coups... Ah bien! on rencontre des êtres qui sont nés pour souffrir.

Goujet la regarda et dit brusquement, les lèvres tremblantes:

Vous m'avez fait de la peine, hier, oh! oui, beaucoup de peine...

Gervaise, pâlissant, avait joint les mains. Mais lui, continuait:

Je sais, ça devait arriver... Seulement, vous auriez dû vous confier à moi, m'avouer ce qu'il en était, pour ne pas me laisser dans des idées...

Il ne put achever. Elle s'était levée, en comprenant que Goujet la croyait remise avec Lantier, comme le quartier l'affirmait. Et, les bras tendus, elle cria:

Non, non, je vous jure... Il me poussait, il allait m'embrasser, c'est vrai; mais sa figure n'a pas même touché la mienne, et c'était la première fois qu'il essayait... Oh! tenez, sur ma vie, sur celle de mes enfants, sur tout ce que j'ai de plus sacré!

Cependant, le forgeron hochait la tête. Il se méfiait, parce que les femmes disent toujours non. Gervaise alors devint très grave, reprit lentement:

Vous me connaissez, monsieur Goujet, je ne suis guère menteuse... Eh bien! non, ça n'est pas, ma parole d'honneur!... Jamais ça ne sera, entendezvous? jamais! Le jour où ça arriverait, je deviendrais la dernière des dernières, je ne mériterais plus l'amitié d'un honnête homme comme vous.

Et elle avait, en parlant, une si belle figure, toute pleine de franchise, qu'il lui prit la main et la fit rasseoir. Maintenant, il respirait à l'aise, il riait en dedans. C'était la première fois qu'il lui tenait ainsi la main et qu'il la serrait dans la sienne. Tous deux restèrent muets. Au ciel, le vol de nuages blancs nageait avec une lenteur de cygne. Dans le coin du champ, la chèvre, tournée vers eux, les regardait en poussant à de longs intervalles réguliers un bêlement très doux. Et, sans se lâcher les doigts, les yeux noyés d'attendrissement, ils se perdaient au loin, sur la pente de Montmartre blafard, au milieu delà haute futaie des cheminées d'usines rayant l'horizon, dans cette banlieue plâtreuse et désolée, où les bosquets verts des cabarets borgnes les touchaient jusqu'aux larmes.

Votre mère m'en veut, je le sais, reprit Gervaise à voix basse. Ne dites pas non... Nous vous devons tant d'argent!

Mais lui, se montra brutal, pour la faire taire. Il lui secoua la main, à la briser. Il ne voulait pas qu'elle parlât de l'argent. Puis, il hésita, il bégaya enfin:

Écoutez, il y a longtemps que je songe à vous proposer une chose.... Vous n'êtes pas heureuse. Ma mère assure que la vie tourne mal pour vous...

Il s'arrêta, un peu étouffé.

Eh bien! il faut nous en aller ensemble.

Elle le regarda, ne comprenant pas nettement d'abord, surprise par cette rude déclaration d'un amour dont il n'avait jamais ouvert les lèvres.

Comment ça? demandatelle.

Oui, continuatil la tête basse, nous nous en irions, nous vivrions quelque part, en Belgique si vous voulez... C'est presque mon pays... En travaillant tous les deux, nous serions vite à notre aise.

Alors, elle devint très rouge. Il l'aurait prise contre lui pour l'embrasser, qu'elle aurait eu moins de honte. C'était un drôle de garçon tout de même, de lui proposer un enlèvement, comme cela se passe dans les romans et dans la haute société. Ah bien! autour d'elle, elle voyait des ouvriers faire la cour à des femmes mariées; mais ils ne les menaient pas même à SaintDenis, ça se passait sur place, et carrément.

Ah! monsieur Goujet, monsieur Goujet... murmuraitelle, sans trouver autre chose.

Enfin, voilà, nous ne serions que tous les deux, repritil. Les autres me gênent, vous comprenez?... Quand j'ai de l'amitié pour une personne, je ne peux pas voir cette personne avec d'autres.

Mais elle se remettait, elle refusait maintenant, d'un air raisonnable.

Ce n'est pas possible, monsieur Goujet. Ce serait très mal... Je suis mariée, n'estce pas? j'ai des enfants... Je sais bien que vous avez de l'amitié pour moi et que je vous fais de la peine. Seulement, nous aurions des remords, nous ne goûterions pas de plaisir... Moi aussi, j'éprouve de l'amitié pour vous, j'en éprouve trop pour vous laisser commettre des bêtises. Et ce seraient des bêtises, bien sûr... Non, voyezvous, il vaut mieux demeurer comme nous sommes. Nous nous estimons, nous nous trouvons d'accord de sentiment. C'est beaucoup, ça m'a soutenue plus d'une fois. Quand on reste honnête, dans notre position, on en est joliment récompensé.

Il hochait la tête, en l'écoutant. Il l'approuvait, il ne pouvait pas dire le contraire. Brusquement, dans le grand jour, il la prit entre ses bras, la serra à l'écraser, lui posa un baiser furieux sur le cou, comme s'il avait voulu lui manger la peau. Puis, il la lâcha, sans demander autre chose; et il ne parla plus de leur amour. Elle se secouait, elle ne se fâchait pas, comprenant que tous deux avaient bien gagné ce petit plaisir.

Le forgeron, cependant, secoué de la tête aux pieds par un grand frisson, s'écartait d'elle, pour ne pas céder à l'envie de la reprendre; et il se traînait sur les genoux, ne sachant à quoi occuper ses mains, cueillant des fleurs de pissenlits, qu'il jetait de loin dans son panier. Il y avait là, au milieu de la nappe d'herbe brûlée, des pissenlits jaunes superbes. Peu à peu, ce jeu le calma, l'amusa. De ses doigts raidis par le travail du marteau, il cassait délicatement les fleurs, les lançait une à une, et ses yeux de bon chien riaient, lorsqu'il ne manquait pas la corbeille. La blanchisseuse s'était adossée à l'arbre mort, gaie et reposée, haussant la voix pour se faire entendre, dans l'haleine forte de la scierie mécanique. Quand ils quittèrent le terrain vague, côte à côte, en causant d'Étienne, qui se plaisait beaucoup à Lille, elle emporta son panier plein de fleurs de pissenlits.

Au fond, Gervaise ne se sentait pas devant Lantier si courageuse qu'elle le disait. Certes, elle était bien résolue à ne pas lui permettre de la toucher seulement du bout des doigts; mais elle avait peur, s'il la touchait jamais, de sa lâcheté ancienne, de cette mollesse et de cette complaisance auxquelles elle se laissait aller, pour faire plaisir au monde. Lantier, pourtant, ne recommença pas sa tentative. Il se trouva plusieurs fois seul avec elle et se tint tranquille. Il semblait maintenant occupé de la tripière, une femme de quarantecinq ans, très bien conservée. Gervaise, devant Goujet, parlait de la tripière, afin de le rassurer. Elle répondait à Virginie et à madame Lerat, quand cellesci faisaient l'éloge du chapelier, qu'il pouvait bien se passer de son admiration, puisque toutes les voisines avaient des béguins pour lui.

Coupeau, dans le quartier, gueulait que Lantier était un ami, un vrai. On pouvait baver sur leur compte, lui savait ce qu'il savait, se fichait du bavardage, du moment où il avait l'honnêteté de son côté. Quand ils sortaient tous les trois, le dimanche, il obligeait sa femme et le chapelier à marcher devant lui, bras dessus, bras dessous, histoire de crâner dans la rue; et il regardait les gens, tout prêt à leur administrer un vatelaver, s'ils s'étaient permis la moindre rigolade. Sans doute, il trouvait Lantier un peu fiérot, l'accusait de faire sa Sophie devant le vitriol, le blaguait parce qu'il savait lire et qu'il parlait comme un avocat. Mais, à part ça, il le déclarait un bougre à poils. On n'en aurait pas trouvé deux aussi solides dans la Chapelle. Enfin, ils se comprenaient, ils étaient bâtis l'un pour l'autre. L'amitié avec un homme, c'est plus solide que l'amour avec une femme.

Il faut dire une chose, Coupeau et Lantier se payaient ensemble des noces à tout casser. Lantier, maintenant, empruntait de l'argent à Gervaise, des dix francs, des vingt francs, quand il sentait de la monnaie dans la maison. C'était toujours pour ses grandes affaires. Puis, ces jourslà, il débauchait Coupeau, parlait d'une longue course, l'emmenait; et, attablés nez à nez au fond d'un restaurant voisin, ils se flanquaient par le coco des plats qu'on ne peut manger chez soi, arrosés de vin cacheté. Le zingueur aurait préféré des ribotes dans le chic bon enfant; mais il était impressionné par les goûts d'aristo du chapelier, qui trouvait sur la carte des noms de sauces extraordinaires. On n'avait pas idée d'un homme si douillet, si difficile. Ils sont tous comme ça, paraîtil, dans le Midi. Ainsi, il ne voulait rien d'échauffant, il discutait chaque fricot, au point de vue de la santé, faisant remporter la viande lorsqu'elle lui semblait trop salée ou trop poivrée. C'était encore pis pour les courants d'air, il en avait une peur bleue, il engueulait tout l'établissement, si une porte restait entr'ouverte. Avec ça, très chien, donnant deux sous au garçon pour des repas de sept et huit francs. N'importe, on tremblait devant lui, on les connaissait bien sur les boulevards extérieurs, des Batignolles à Belleville. Ils allaient, grande rue des Batignolles, manger des tripes à la mode de Caen, qu'on leur servait sur de petits réchauds. En bas de Montmartre, ils trouvaient les meilleures huîtres du quartier, à la Ville de BarleDuc. Quand ils se risquaient en haut de la butte, jusqu'au Moulin de la Galette, on leur faisait sauter un lapin. Rue des Martyrs, les Lilas avaient la spécialité de la tête de veau; tandis que, chaussée Clignancourt, les restaurants du Lion d'Or et des Deux Marronniers leur donnaient des rognons sautés à se lécher les doigts. Mais ils tournaient plus souvent à gauche, du côté de Belleville, avaient leur table gardée aux Vendanges de Bourgogne, au Cadran Bleu, au Capucin, des maisons de confiance, où l'on pouvait demander de tout, les yeux fermés. C'étaient des parties sournoises, dont ils parlaient le lendemain matin à mots couverts, en chipotant les pommes de terre de Gervaise. Même un jour, dans un bosquet du Moulin de la Galette, Lantier amena une femme, avec laquelle Coupeau le laissa au dessert.

Naturellement, oh ne peut pas nocer et travailler. Aussi, depuis l'entrée du chapelier dans le ménage, le zingueur, qui fainéantait déjà pas mal, en était arrivé à ne plus toucher un outil. Quand il se laissait encore embaucher, las de traîner ses savates, le camarade le relançait au chantier, le blaguait à mort en le trouvant pendu au bout de sa corde à noeuds comme un jambon fumé; et il lui criait de descendre prendre un canon. C'était réglé, le zingueur lâchait l'ouvrage, commençait une bordée qui durait des journées et des semaines. Oh! par exemple, des bordées fameuses, une revue générale de tous les mastroquets du quartier, la soûlerie du matin cuvée à midi et repincée le soir, les tournées de cassepoitrine se succédant, se perdant dans la nuit, pareilles aux lampions d'une fête, jusqu'à ce que la dernière chandelle s'éteignît avec le dernier verre! Cet animal de chapelier n'allait jamais jusqu'au bout. Il laissait l'autre s'allumer, le lâchait, rentrait en souriant de son air aimable. Lui, se piquait le nez proprement, sans qu'on s'en aperçût. Quand on le connaissait bien, ça se voyait seulement à ses yeux plus minces et à ses manières plus entreprenantes auprès des femmes. Le zingueur, au contraire, devenait dégoûtant, ne pouvait plus boire sans se mettre dans un état ignoble. Ainsi, vers les premiers jours de novembre, Coupeau tira une bordée qui finit d'une façon tout à fait sale pour lui et pour les autres. La veille, il avait trouvé de l'ouvrage. Lantier, cette foislà, était plein de beaux sentiments; il prêchait le travail, attendu que le travail ennoblit l'homme. Même, le matin, il se leva à la lampe, il voulut accompagner son ami au chantier, gravement, honorant en lui l'ouvrier vraiment digne de ce nom. Mais, arrivés devant la PetiteCivette qui ouvrait, ils entrèrent prendre une prune, rien qu'une, dans le seul but d'arroser ensemble la ferme résolution d'une bonne conduite. En face du comptoir, sur un banc, BibilaGrillade, le dos contre le mur, fumait sa pipe d'un air maussade.

Tiens! Bibi qui fait sa panthère, dit Coupeau. On a donc la flemme, ma vieille?

Non, non, répondit le camarade en s'étirant les bras. Ce sont les patrons qui vous dégoûtent... J'ai lâché le mien hier... Tous de la crapule, de la canaille...

Et BibilaGrillade accepta une prune. Il devait être là, sur le banc, à attendre une tournée. Cependant, Lantier défendait les patrons; ils avaient parfois joliment du mal, il en savait quelque chose, lui qui sortait des affaires. De la jolie fripouille, les ouvriers! toujours en noce, se fichant de l'ouvrage, vous lâchant au beau milieu d'une commande, reparaissant quand leur monnaie est nettoyée. Ainsi, il avait eu un petit Picard, dont la toquade était de se trimballer en voiture; oui, dès qu'il touchait sa semaine, il prenait des fiacres pendant des journées. Estce que c'était là un goût de travailleur? Puis, brusquement, Lantier se mit à attaquer aussi les patrons. Oh! il voyait clair, il disait ses vérités à chacun. Une sale race après tout, des exploiteurs sans vergogne, des mangeurs de monde. Lui, Dieu merci! pouvait dormir la conscience tranquille, car il s'était toujours conduit en ami avec ses hommes, et avait préféré ne pas gagner des millions comme les autres.

Filons, mon petit, ditil en s'adressant à Coupeau. Il faut être sage, nous serions en retard.

BibilaGrillade, les bras ballants, sortit avec eux. Dehors, le jour se levait à peine, un petit jour sali par le reflet boueux du pavé; il avait plu la veille, il faisait très doux. On venait d'éteindre les becs de gaz; la rue des Poissonniers, où des lambeaux de nuit étranglés par les maisons flottaient encore, s'emplissait du sourd piétinement des ouvriers descendant vers Paris. Coupeau, son sac de zingueur passé à l'épaule, marchait de l'air esbrouffeur d'un citoyen qui est d'attaque, une fois par hasard. Il se tourna, il demanda:

Bibi, veuxtu qu'on t'embauche? le patron m'a dit d'amener un camarade, si je pouvais.

Merci, répondit BibilaGrillade, je me purge... Faut proposer ça à MesBottes, qui cherchait hier une baraque... Attends, MesBottes est bien sûr là dedans.

Et, comme ils arrivaient au bas de la rue, ils aperçurent en effet MesBottes chez le père Colombe. Malgré l'heure matinale, l'Assommoir flambait, les volets enlevés, le gaz allumé. Lantier resta sur la porte, en recommandant à Coupeau de se dépêcher, parce qu'ils avaient tout juste dix minutes.

Comment! tu vas chez ce roussin de Bourguignon! cria MesBottes, quand le zingueur lui eut parlé. Plus souvent qu'on me pince dans cette boîte! Non, j'aimerais mieux tirer la langue jusqu'à l'année prochaine... Mais, mon vieux, tu ne resteras pas là trois jours, c'est moi qui te le dis!

Vrai, une sale boîte? demanda Coupeau inquiet.

Oh! tout ce qu'il y a de plus sale... On ne peut pas bouger. Le singe est sans cesse sur votre dos. Et avec ça des manières, une bourgeoise qui vous traite de soûlard, une boutique où il est défendu de cracher... Je les ai envoyés dinguer le premier soir, tu comprends.

Bon! me voilà prévenu. Je ne mangerai pas chez eux un boisseau de sel... J'en vais tâter ce matin; mais si le patron m'embête, je te le ramasse et je te l'asseois sur sa bourgeoise, tu sais, collés comme une paire de soles!

Le zingueur secouait la main du camarade, pour le remercier de son bon renseignement, et il s'en allait, quand MesBottes se fâcha. Tonnerre de Dieu! estce que le Bourguignon allait les empêcher de boire la goutte? Les hommes n'étaient plus des hommes, alors? Le singe pouvait bien attendre cinq minutes. Et Lantier entra pour accepter la tournée, les quatre ouvriers se tinrent debout devant le comptoir. Cependant, MesBottes, avec ses souliers éculés, sa blouse noire d'ordures, sa casquette aplatie sur le sommet du crâne, gueulait fort et roulait des yeux de maître dans l'Assommoir. Il venait d'être proclamé empereur des pochards et roi des cochons, pour avoir mangé une salade de hannetons vivants et mordu dans un chat crevé.

Dites donc, espèce de Borgia! criatil au père Colombe, donnezmoi de la jaune, de votre pissat d'âne premier numéro.

Et quand le père Colombe, blême et tranquille dans son tricot bleu, eut empli les quatre verres, ces messieurs les vidèrent d'une lampée, histoire de ne pas laisser le liquide s'éventer.

Ça fait tout de même du bien où ça passe, murmura BibilaGrillade.

Mais cet animal de MesBottes en racontait une comique. Le vendredi, il était si soûl, que les camarades lui avaient scellé sa pipe dans le bec avec une poignée de plâtre. Un autre en serait crevé, lui gonflait le dos et se pavanait.

Ces messieurs ne renouvellent pas? demanda le père Colombe de sa voix grasse.

Si, redoubleznous ça, dit Lantier. C'est mon tour.

Maintenant, on causait des femmes. BibilaGrillade, le dernier dimanche, avait mené sa scie à Montrouge, chez une tante. Coupeau demanda des nouvelles de la Malle des Indes, une blanchisseuse de Chaillot, connue dans l'établissement. On allait boire, quand MesBottes, violemment, appela Goujet et Lorilleux qui passaient. Ceuxci vinrent jusqu'à la porte et refusèrent d'entrer. Le forgeron ne sentait pas le besoin de prendre quelque chose. Le chaîniste, blafard, grelottant, serrait dans sa poche les chaînes d'or qu'il reportait; et il toussait, il s'excusait, en disant qu'une goutte d'eaudevie le mettait sur le flanc.

En voilà des cafards! grogna MesBottes. Ça doit licher dans les coins.

Et quand il eut mis le nez dans son verre, il attrapa le père Colombe.

Vieille drogue, tu as changé de litre!... Tu sais, ce n'est pas avec moi qu'il faut maquiller ton vitriol!

Le jour avait grandi, une clarté louche éclairait l'Assommoir, dont le patron éteignait le gaz. Coupeau, pourtant, excusait son beaufrère, qui ne pouvait pas boire, ce dont, après tout, on n'avait pas à lui faire un crime. Il approuvait même Goujet, attendu que c'était un bonheur de ne jamais avoir soif. Et il parlait d'aller travailler, lorsque Lantier, avec son grand air d'homme comme il faut, lui infligea une leçon: on payait sa tournée, au moins, avant de se cavaler; on ne lâchait pas dos amis comme un pleutre, même pour se rendre à son devoir.

Estce qu'il va nous bassiner longtemps avec son travail! cria
MesBottes.
Alors, c'est la tournée de monsieur? demanda le père Colombe à
Coupeau.
Celuici paya sa tournée. Mais, quand vint le tour de BibilaGrillade, il se pencha à l'oreille du patron, qui refusa d'un lent signe de tête. MesBottes comprit et se remit à invectiver cet entortillé de père Colombe. Comment! une bride de son espèce se permettait de mauvaises manières à l'égard d'un camarade! Tous les marchands de coco faisaient l'oeil! Il fallait venir dans les mines à poivre pour être insulté! Le patron restait calme, se balançait sur ses gros poings, au bord du comptoir, en répétant poliment:

Prêtez de l'argent à monsieur, ce sera plus simple.

Nom de Dieu! oui, je lui en prêterai, hurla MesBottes. Tiens!
Bibi, jettelui sa monnaie à travers la gueule, à ce vendu!
Puis, lancé, agacé par le sac que Coupeau avait gardé à son épaule, il continua, en s'adressant au zingueur:

T'as l'air d'une nourrice. Lâche ton poupon. Ça rend bossu.

Coupeau hésita un instant; et, paisiblement, comme s'il s'était décidé après de mûres réflexions, il posa son sac par terre, en disant:

Il est trop tard, à cette heure. J'irai chez Bourguignon après le déjeuner. Je dirai que ma bourgeoise a eu des coliques.... Écoutez, père Colombe, je laisse mes outils sous cette banquette, je les reprendrai à midi.

Lantier, d'un hochement de tête, approuva cet arrangement. On doit travailler, ça ne fait pas un doute; seulement, quand on se trouve avec des amis, la politesse passe avant tout. Un désir de godaille les avait peu à peu chatouillés et engourdis tous les quatre, les mains lourdes, se tâtant du regard. Et, dès qu'ils eurent cinq heures de flâne devant eux, ils furent pris brusquement d'une joie bruyante, ils s'allongèrent des claques, se gueulèrent des mots de tendresse dans la figure, Coupeau surtout, soulagé, rajeuni, qui appelait les autres « ma vieille branche! » On se mouilla encore d'une tournée générale; puis, on alla à la Puce qui renifle, un petit bousingot où il y avait un billard. Le chapelier fit un instant son nez, parce que c'était une maison pas très propre: le schnick y valait un franc le litre, dix sous une chopine en deux verres, et la société de l'endroit avait commis tant de saletés sur le billard, que les billes y restaient collées. Mais, la partie une fois engagée, Lantier, qui avait un coup de queue extraordinaire, retrouva sa grâce et sa belle humeur, développant son torse, accompagnant d'un effet de hanches chaque carambolage.

Lorsque vint l'heure du déjeuner, Coupeau eut une idée. Il tapa des pieds, en criant:

Faut aller prendre BecSalé. Je sais où il travaille... Nous l'emmènerons manger des pieds à la poulette chez la mère Louis.

L'idée fut acclamée. Oui, BecSalé, dit BoitsansSoif, devait avoir besoin de manger des pieds à la poulette. Ils partirent. Les rues étaient jaunes, une petite pluie tombait; mais ils avaient déjà trop chaud à l'intérieur pour sentir ce léger arrosage sur leurs abatis. Coupeau les mena rue Marcadet, à la fabrique de boulons. Comme ils arrivaient une grosse demiheure avant la sortie, le zingueur donna deux sous à un gamin pour entrer dire à BecSalé que sa bourgeoise se trouvait mal et le demandait tout de suite. Le forgeron parut aussitôt, en se dandinant, l'air bien calme, le nez flairant un gueuleton.

Ah! les cheulards! ditil, dès qu'il les aperçut cachés sous une porte. J'ai senti ça... Hein? qu'estce qu'on mange?

Chez la mère Louis, tout en suçant les petits os des pieds, on tapa de nouveau sur les patrons. BecSalé, dit BoitsansSoif, racontait qu'il y avait une commande pressée dans sa boîte. Oh! le singe était coulant pour le quart d'heure; on pouvait manquer à l'appel, il restait gentil, il devait s'estimer encore bien heureux quand on revenait. D'abord, il n'y avait pas de danger qu'un patron osât jamais flanquer dehors BecSalé, dit BoitsansSoif, parce qu'on n'en trouvait plus, des cadets de sa capacité. Après les pieds, on mangea une omelette. Chacun but son litre. La mère Louis faisait venir son vin de l'Auvergne, un vin couleur de sang qu'on aurait coupé au couteau. Ça commençait à être drôle, la bordée s'allumait.

Qu'estce qu'il a, à m'emmoutarder, cet encloué de singe? cria BecSalé au dessert. Estce qu'il ne vient pas d'avoir l'idée d'accrocher une cloche dans sa baraque? Une cloche, c'est bon pour des esclaves... Ah bien! elle peut sonner, aujourd'hui! Du tonnerre si l'on me repince à l'enclume! Voilà cinq jours que je me la foule, je puis bien le balancer... S'il me fiche un abatage, je l'envoie à Chaillot.

Moi, dit Coupeau d'un air important, je suis obligé de vous lâcher, je vais travailler. Oui, j'ai juré à ma femme... Amusezvous, je reste de coeur avec les camaros, vous savez.

Les autres blaguaient. Mais lui, semblait si décidé, que tous l'accompagnèrent, quand il parla d'aller chercher ses outils chez le père Colombe. Il prit son sac sous la banquette, le posa devant lui, pendant qu'on buvait une dernière goutte. A une heure, la société s'offrait encore des tournées. Alors, Coupeau, d'un geste d'ennui, reporta les outils sous la banquette; ils le gênaient, il ne pouvait pas s'approcher du comptoir sans buter dedans. C'était trop bête, il irait le lendemain chez Bourguignon. Les quatre autres, qui se disputaient à propos de la question des salaires, ne s'étonnèrent pas, lorsque le zingueur, sans explication, leur proposa un petit tour sur le boulevard, pour se dérouiller les jambes. La pluie avait cessé. Le petit tour se borna à faire deux cents pas sur une même file, les bras ballants; et ils ne trouvaient plus un mot, surpris par l'air, ennuyés d'être dehors. Lentement, sans avoir seulement à se consulter du coude, ils remontèrent d'instinct la rue des Poissonniers, où ils entrèrent chez François prendre un canon de la bouteille. Vrai, ils avaient besoin de ça pour se remettre. On tournait trop à la tristesse dans la rue, il y avait une boue à ne pas flanquer un sergent de ville à la porte. Lantier poussa les camarades dans le cabinet, un coin étroit occupé par une seule table, et qu'une cloison aux vitres dépolies séparait de la salle commune. Lui, d'ordinaire, se piquait le nez dans les cabinets, parce que c'était plus convenable. Estce que les camarades n'étaient pas bien là? On se serait cru chez soi, on y aurait fait dodo sans se gêner. Il demanda le journal, l'étala tout grand, le parcourut, les sourcils froncés. Coupeau et MesBottes avaient commencé un piquet. Deux litres et cinq verres traînaient sur la table.

Eh bien? qu'estce qu'ils chantent, dans ce papierlà? demanda BibilaGrillade au chapelier.

Il ne répondit pas tout de suite. Puis, sans lever les yeux:

Je tiens la Chambre. En voilà des républicains de quatre sous, ces sacrés fainéants de la gauche! Estce que le peuple les nomme pour baver leur eau sucrée!... Il croit en Dieu, celuilà, et il fait des mamours à ces canailles de ministres! Moi, si j'étais nommé, je monterais à la tribune et je dirais: Merde! Oui, pas davantage, c'est mon opinion!

Vous savez que Badinguet s'est fichu des claques avec sa bourgeoise, l'autre soir, devant toute sa cour, raconta BecSalé, dit BoitsansSoif. Ma parole d'honneur! Et à propos de rien, en s'asticotant. Badinguet était éméché.

Lâcheznous donc le coude, avec votre politique! cria le zingueur.

Lisez les assassinats, c'est plus rigolo.

Et revenant à son jeu, annonçant une tierce au neuf et trois dames:

J'ai une tierce à l'égout et trois colombes... Les crinolines ne me quittent pas.

On vida les verres. Lantier se mit à lire tout haut:

« Un crime épouvantable, vient de jeter l'effroi dans la commune de Gaillon (SeineetMarne). Un fils a tué son père à coups de bêche, pour lui voler trente sous... »

Tous poussèrent un cri d'horreur. En voilà un, par exemple, qu'ils seraient allés voir raccourcir avec plaisir! Non, la guillotine, ce n'était pas assez; il aurait fallu le couper en petits morceaux. Une histoire d'infanticide les révolta également; mais le chapelier, très moral, excusa la femme en mettant tous les torts du côté de son séducteur; car, enfin, si une crapule d'homme n'avait pas fait un gosse à cette malheureuse, elle n'aurait pas pu en jeter un dans les lieux d'aisances. Mais ce qui les enthousiasma, ce furent les exploits du marquis de T..... sortant d'un bal à deux heures du matin et se défendant contre trois mauvaises gouapes, boulevard des Invalides; sans même retirer ses gants, il s'était débarrassé des deux premiers scélérats avec des coups de tête dans le ventre, et avait conduit le troisième au poste, par une oreille. Hein? quelle poigne! C'était embêtant qu'il fût noble.

Écoutez ça maintenant, continua Lantier. Je passe aux nouvelles de la haute. « La comtesse de Brétigny marie sa fille aînée au jeune baron de Valançay, aide de camp de Sa Majesté. Il y a, dans la corbeille, pour plus de trois cent mille francs de dentelle... »

Qu'estce que ça nous fiche! interrompit BibilaGrillade. On ne leur demande pas la couleur de leur chemise... La petite a beau avoir de la dentelle, elle n'en verra pas moins la lune par le même trou que les autres.

Comme Lantier faisait mine d'achever sa lecture, BecSalé, dit BoitsansSoif, lui enleva le journal et s'assit dessus, en disant: Ah! non, assez!... Le voilà au chaud... Le papier, ce n'est bon qu'à ça.

Cependant, MesBottes, qui regardait son jeu, donnait un coup de poing triomphant sur la table. Il faisait quatrevingttreize.

J'ai la Révolution, criatil. Quinte mangeuse, portant son point dans l'herbe à la vache... Vingt, n'estce pas?... Ensuite, tierce major dans les vitriers, vingttrois; trois boeufs, vingtsix; trois larbins, vingtneuf; trois borgnes, quatrevingtdouze... Et je joue An un de la République, quatrevingttreize.

T'es rincé, mon vieux, crièrent les autres à Coupeau.

On commanda deux nouveaux litres. Les verres ne désemplissaient plus, la soûlerie montait. Vers cinq heures, ça commençait à devenir dégoûtant, si bien que Lantier se taisait et songeait à filer; du moment où l'on gueulait et où l'on fichait le vin par terre, ce n'était plus son genre. Justement, Coupeau se leva pour faire le signe de croix des pochards. Sur la tête il prononça Montpernasse, à l'épaule droite Menilmonte, à l'épaule gauche la Courtille, au milieu du ventre Bagnolet, et dans le creux de l'estomac trois fois Lapin sauté. Alors, le chapelier, profitant de la clameur soulevée par cet exercice, prit tranquillement la porte. Les camarades ne s'aperçurent même pas de son départ. Lui, avait déjà un joli coup de sirop. Mais, dehors, il se secoua, il retrouva son aplomb; et il regagna tranquillement la boutique, où il raconta à Gervaise que Coupeau était avec des amis.

Deux jours se passèrent. Le zingueur n'avait pas reparu. Il roulait dans le quartier, on ne savait pas bien où. Des gens, pourtant, disaient l'avoir vu chez la nièce Baquet, au Papillon, au Petit bonhomme qui tousse. Seulement, les uns assuraient qu'il était seul, tandis que les autres l'avaient rencontré en compagnie de sept ou huit soûlards de son espèce. Gervaise haussait les épaules d'un air résigné. Mon Dieu! c'était une habitude à prendre. Elle ne courait pas après son homme; même, si elle l'apercevait chez un marchand de vin, elle faisait un détour, pour ne pas le mettre en colère; et elle attendait qu'il rentrât, écoutant la nuit s'il ne ronflait pas à la porte. Il couchait sur un tas d'ordures, sur un banc, dans un terrain vague, en travers d'un ruisseau. Le lendemain, avec son ivresse mal cuvée de la veille, il repartait, tapait aux volets des consolations, se lâchait de nouveau dans une course furieuse, au milieu des petits verres, des canons et des litres, perdant et retrouvant ses amis, poussant des voyages dont il revenait plein de stupeur, voyant danser les rues, tomber la nuit et naître le jour, sans autre idée que de boire et de cuver sur place. Lorsqu'il cuvait, c'était fini. Gervaise alla pourtant, le second jour, à l'Assommoir du père Colombe, pour savoir; on l'y avait revu cinq fois, on ne pouvait pas lui en dire davantage. Elle dut se contenter d'emporter les outils, restés sous la banquette.

Lantier, le soir, voyant la blanchisseuse ennuyée, lui proposa de la conduire au caféconcert, histoire de passer un moment agréable. Elle refusa d'abord, elle n'était pas en train de rire. Sans cela, elle n'aurait pas dit non, car le chapelier lui faisait son offre d'un air trop honnête pour qu'elle se méfiât de quelque traîtrise. Il semblait s'intéresser à son malheur et se montrait vraiment paternel. Jamais Coupeau n'avait découché deux nuits. Aussi, malgré elle, toutes les dix minutes, venaitelle se planter sur la porte sans lâcher son fer, regardant aux deux bouts de la rue si son homme n'arrivait pas. Ça la tenait dans les jambes, à ce qu'elle disait, des picotements qui l'empêchaient de rester en place. Bien sûr, Coupeau pouvait se démolir un membre, tomber sous une voiture et y rester: elle serait joliment débarrassée, elle se défendait de garder dans le coeur la moindre amitié pour un sale personnage de cette espèce. Mais, à la fin, c'était agaçant de toujours se demander s'il rentrerait ou s'il ne rentrerait pas. Et, lorsqu'on alluma le gaz, comme Lantier lui parlait de nouveau du caféconcert, elle accepta. Après tout, elle se trouvait trop bête de refuser un plaisir, lorsque son mari, depuis trois jours, menait une vie de polichinelle. Puisqu'il ne rentrait pas, elle aussi allait sortir. La cambuse brûlerait, si elle voulait. Elle aurait fichu en personne le feu au bazar, tant l'embêtement de la vie commençait à lui monter au nez.

On dîna vite. En partant au bras du chapelier, à huit heures, Gervaise pria maman Coupeau et Nana de se mettre au lit tout de suite. La boutique était fermée. Elle s'en alla par la porte de la cour et donna la clef à madame Boche, en lui disant que si son cochon rentrait, elle eût l'obligeance de le coucher. Le chapelier l'attendait sous la porte, bien mis, sifflant un air. Elle avait sa robe de soie. Ils suivirent doucement le trottoir, serrés l'un contre l'autre, éclairés par les coups de lumière des boutiques, qui les montraient se parlant à demivoix, avec un sourire.

Le caféconcert était boulevard de Rochechouart, un ancien petit café qu'on avait agrandi sur une cour, par une baraque en planches. A la porte, un cordon de boules de verre dessinait un portique lumineux. De longues affiches, collées sur des panneaux de bois, se trouvaient posées par terre, au ras du ruisseau.

Nous y sommes, dit Lantier. Ce soir, débuts de mademoiselle Amanda, chanteuse de genre.

Mais il aperçut BibilaGrillade, qui lisait également l'affiche. Bibi avait un oeil au beurre noir, quelque coup de poing attrapé la veille.

Eh bien! et Coupeau? demanda le chapelier, en cherchant autour de lui, vous avez donc perdu Coupeau?

Oh! il y a beau temps, depuis hier, répondit l'autre. On s'est allongé un coup de tampon, en sortant de chez la mère Baquet. Moi, je n'aime pas les jeux de mains... Vous savez, c'est avec le garçon de la mère Baquet qu'on a eu des raisons, par rapport à un litre qu'il voulait nous faire payer deux fois... Alors, j'ai filé, je suis aller schloffer un brin.

Il bâillait encore, il avait dormi dixhuit heures. D'ailleurs, il était complètement dégrisé, l'air abêti, sa vieille veste pleine de duvet; car il devait s'être couché dans son lit tout habillé.

Et vous ne savez pas où est mon mari, monsieur? interrogea la blanchisseuse.

Mais non, pas du tout... Il était cinq heures, quand nous avons
quitté la mère Baquet. Voilà!... Il a peutêtre bien descendu la rue.
Oui, même je crois l'avoir vu entrer au Papillon avec un cocher...
Oh! que c'est bête! Vrai, on est bon à tuer!
Lantier et Gervaise passèrent une très agréable soirée au caféconcert. A onze heures, lorsqu'on ferma les portes, ils revinrent en se baladant, sans se presser. Le froid piquait un peu, le monde se retirait par bandes; et il y avait des filles qui crevaient de rire, sous les arbres, dans l'ombre, parce que les hommes rigolaient de trop près. Lantier chantait entre ses dents une des chansons de mademoiselle Amanda: C'est dans l'nez qu'ça me chatouille. Gervaise, étourdie, comme grise, reprenait le refrain. Elle avait eu très chaud. Puis, les deux consommations qu'elle avait bues lui tournaient sur le coeur, avec la fumée des pipes et l'odeur de toute cette société entassée. Mais elle emportait surtout une vive impression de mademoiselle Amanda. Jamais elle n'aurait osé se mettre nue comme ça devant le public. Il fallait être juste, cette dame avait une peau à faire envie. Et elle écoutait, avec une curiosité sensuelle, Lantier donner des détails sur la personne en question, de l'air d'un monsieur qui lui aurait compté les côtes en particulier.

Tout le monde dort, dit Gervaise, après avoir sonné trois fois, sans que les Boche eussent tiré le cordon.

La porte s'ouvrit, mais le porche était noir, et quand elle frappa à la vitre de la loge pour demander sa clef, la concierge ensommeillée lui cria une histoire à laquelle elle n'entendit rien d'abord. Enfin, elle comprit que le sergent de ville Poisson avait ramené Coupeau dans un drôle d'état, et que la clef devait être sur la serrure.

Fichtre! murmura Lantier, quand ils furent entrés, qu'estce qu'il a donc fait ici? C'est une vraie infection.

En effet, ça puait ferme. Gervaise, qui cherchait des allumettes, marchait dans du mouillé. Lorsqu'elle fut parvenue à allumer une bougie, ils eurent devant eux un joli spectacle. Coupeau avait rendu tripes et boyaux; il y en avait plein la chambre; le lit en était emplâtré, le tapis également, et jusqu'à la commode qui se trouvait éclaboussée. Avec ça, Coupeau, tombé du lit où Poisson devait l'avoir jeté, ronflait là dedans, au milieu de son ordure. Il s'y étalait, vautré comme un porc, une joue barbouillée, soufflant son haleine empestée par sa bouche ouverte, balayant de ses cheveux déjà gris la mare élargie autour de sa tête.

Oh! le cochon! le cochon! répétait Gervaise indignée, exaspérée. Il a tout sali... Non, un chien n'aurait pas fait ça, un chien crevé est plus propre.

Tous deux n'osaient bouger, ne savaient où poser le pied. Jamais le zingueur n'était revenu avec une telle culotte et n'avait mis la chambre dans une ignominie pareille. Aussi, cette vuelà portait un rude coup au sentiment que sa femme pouvait encore éprouver pour lui. Autrefois, quand il rentrait éméché ou poivré, elle se montrait complaisante et pas dégoûtée. Mais, à cette heure, c'était trop, son coeur se soulevait. Elle ne l'aurait pas pris avec des pincettes. L'idée seule que la peau de ce goujat toucherait sa peau, lui causait une répugnance, comme si on lui avait demandé de s'allonger à côté d'un mort, abîmé par une vilaine maladie.

Il faut pourtant que je me couche, murmuratelle. Je ne puis pas retourner coucher dans la rue... Oh! je lui passerai plutôt sur le corps.

Elle tâcha d'enjamber l'ivrogne et dut se retenir à un coin de la commode, pour ne pas glisser dans la saleté. Coupeau barrait complètement le lit. Alors, Lantier, qui avait un petit rire en voyant bien qu'elle ne ferait pas dodo sur son oreiller cette nuitlà, lui prit une main, en disant d'une voix basse et ardente:

Gervaise... écoute, Gervaise...

Mais elle avait compris, elle se dégagea, éperdue, le tutoyant à son tour, comme jadis.

Non, laissemoi... Je t'en supplie, Auguste, rentre dans ta chambre... Je vais m'arranger, je monterai dans le lit par les pieds...

Gervaise, voyons, ne fais pas la bête, répétaitil. Ça sent trop mauvais, tu ne peux pas rester... Viens. Qu'estce que tu crains? Il ne nous entend pas, va!

Elle luttait, elle disait non de la tête, énergiquement. Dans son trouble, comme pour montrer qu'elle resterait là, elle se déshabillait, jetait sa robe de soie sur une chaise, se mettait violemment en chemise et en jupon, toute blanche, le cou et les bras nus. Son lit était à elle, n'estce pas? elle voulait coucher dans son lit. A deux reprises, elle tenta encore de trouver un coin propre et de passer. Mais Lantier ne se lassait pas, la prenait à la taille, en disant des choses pour lui mettre le feu dans le sang. Ah! elle était bien plantée, avec un loupiat de mari par devant, qui l'empêchait de se fourrer honnêtement sous sa couverture, avec un sacré salaud d'homme par derrière, qui songeait uniquement à profiter de son malheur pour la ravoir! Comme le chapelier haussait la voix, elle le supplia de se taire. Et elle écouta, l'oreille tendue vers le cabinet où couchaient Nana et maman Coupeau. La petite et la vieille devaient dormir, on entendait une respiration forte.

Auguste, laissemoi, tu vas les réveiller, repritelle, les mains jointes. Sois raisonnable. Un autre jour, ailleurs... Pas ici, pas devant ma fille...

Il ne parlait plus, il restait souriant; et, lentement, il la baisa sur l'oreille, ainsi qu'il la baisait autrefois pour la taquiner, et l'étourdir. Alors, elle fut sans force, elle sentit un grand bourdonnement, un grand frisson descendre dans sa chair. Pourtant, elle fit de nouveau un pas. Et elle dut reculer. Ce n'était pas possible, la dégoûtation était si grande, l'odeur devenait telle, qu'elle se serait ellemême mal conduite dans ses draps. Coupeau, comme sur de la plume, assommé par l'ivresse, cuvait sa bordée, les membres morts, la gueule de travers. Toute la rue aurait bien pu entrer embrasser sa femme, sans qu'un poil de son corps en remuât.

Tant pis, bégayaitelle, c'est sa faute, je ne puis pas... Ah! mon
Dieu! ah! mon Dieu! il me renvoie de mon lit, je n'ai plus de lit...
Non, je ne puis pas, c'est sa faute.
Elle tremblait, elle perdait la tête. Et, pendant que Lantier la poussait dans sa chambre, le visage de Nana apparut à la porte vitrée du cabinet, derrière un carreau. La petite venait de se réveiller et de se lever doucement, en chemise, pâle de sommeil. Elle regarda son père roulé dans son vomissement; puis, la figure collée contre la vitre, elle resta là, à attendre que le jupon de sa mère eût disparu chez l'autre homme, en face. Elle était toute grave. Elle avait de grands yeux d'enfant vicieuse, allumés d'une curiosité sensuelle.

Cet hiverlà, maman Coupeau faillit passer, dans une crise d'étouffement. Chaque année, au mois de décembre, elle était sûre que son asthme la collait sur le dos pour des deux et trois semaines. Elle n'avait plus quinze ans, elle devait en avoir soixantetreize à la SaintAntoine. Avec ça, très patraque, râlant pour un rien, quoique grosse et grasse. Le médecin annonçait qu'elle s'en irait en toussant, le temps de crier: Bonsoir, Jeanneton, la chandelle est éteinte!

Quand elle était dans son lit, maman Coupeau devenait mauvaise comme la gale. Il faut dire que le cabinet où elle couchait avec Nana n'avait rien de gai. Entre le lit de la petite et le sien, se trouvait juste la place de deux chaises. Le papier des murs, un vieux papier gris déteint, pendait en lambeaux. La lucarne ronde, près du plafond, laissait tomber un jour louche et pâle de cave. On se faisait joliment vieux là dedans, surtout une personne qui ne pouvait pas respirer. La nuit encore, lorsque l'insomnie la prenait, elle écoutait dormir la petite, et c'était une distraction. Mais, dans le jour, comme on ne lui tenait pas compagnie du matin au soir, elle grognait, elle pleurait, elle répétait toute seule pendant des heures, en roulant sa tête sur l'oreiller:

Mon Dieu! que je suis malheureuse!... Mon Dieu! que je suis malheureuse!... En prison, oui, c'est en prison qu'ils me feront mourir!

Et, dès qu'une visite lui arrivait, Virginie ou madame Boche, pour lui demander comment allait la santé, elle ne répondait pas, elle entamait tout de suite le chapitre de ses plaintes.

Ah! il est cher, le pain que je mange ici! Non, je ne souffrirais pas autant chez des étrangers!... Tenez, j'ai voulu avoir une tasse de tisane, eh bien! on m'en a apporté plein un pot à eau, une manière de me reprocher d'en trop boire... C'est comme Nana, cette enfant que j'ai élevée, elle se sauve nupieds, le matin, et je ne la revois plus. On croirait que je sens mauvais. Pourtant, la nuit, elle dort joliment, elle ne se réveillerait pas une seule fois pour me demander si je souffre... Enfin, je les embarrasse, ils attendent que je crève. Oh! ce sera bientôt fait. Je n'ai plus de fils, cette coquine de blanchisseuse me l'a pris. Elle me battrait, elle m'achèverait, si elle n'avait pas peur de la justice.

Gervaise, en effet, se montrait un peu rude par moments. La baraque tournait mal, tout le monde s'y aigrissait et s'envoyait promener au premier mot. Coupeau, un matin qu'il avait les cheveux malades, s'était écrié: « La vieille dit toujours qu'elle va mourir, et elle ne meurt jamais! » parole qui avait frappé maman Coupeau au coeur. On lui reprochait ce qu'elle coûtait, on disait tranquillement que, si elle n'était plus là, il y aurait une grosse économie. A la vérité, elle ne se conduisait pas non plus comme elle aurait dû. Ainsi, quand elle voyait sa fille aînée, madame Lerat, elle pleurait misère, accusait son fils et sa bellefille de la laisser mourir de faim, tout ça pour lui tirer une pièce de vingt sous, qu'elle dépensait en gourmandises. Elle faisait aussi des cancans abominables avec les Lorilleux, en leur racontant à quoi passaient leurs dix francs, aux fantaisies de la blanchisseuse, des bonnets neufs, des gâteaux mangés dans les coins, des choses plus sales même qu'on n'osait pas dire. A deux ou trois reprises, elle faillit faire battre toute la famille. Tantôt elle était avec les uns, tantôt elle était avec les autres; enfin, ça devenait un vrai gâchis.

Au plus fort de sa crise, cet hiverlà, une aprèsmidi que madame
Lorilleux et madame Lerat s'étaient rencontrées devant son lit, maman
Coupeau cligna les yeux, pour leur dire de se pencher. Elle pouvait à
peine parler. Elle souffla, à voix basse:
C'est du propre!... Je les ai entendus cette nuit. Oui, oui, la
Banban et le chapelier... Et ils menaient un train! Coupeau est joli.
C'est du propre!
Elle raconta, par phrases courtes, toussant et étouffant, que son fils avait dû rentrer ivremort, la veille. Alors, comme elle ne dormait pas, elle s'était très bien rendu compte de tous les bruits, les pieds nus de la Banban trottant sur le carreau, la voix sifflante du chapelier qui l'appelait, la porte de communication poussée doucement, et le reste. Ça devait avoir duré jusqu'au jour, elle ne savait pas l'heure au juste, parce que, malgré ses efforts, elle avait fini par s'assoupir.

Ce qu'il y a de plus dégoûtant, c'est que Nana aurait pu entendre, continuatelle. Justement, elle a été agitée toute la nuit, elle qui d'habitude dort à poings fermés; elle sautait, elle se retournait, comme s'il y avait eu de la braise dans son lit.

Les deux femmes ne parurent pas surprises.

Pardi! murmura madame Lorilleux, ça doit avoir commencé le premier jour... Du moment où ça plaît à Coupeau, nous n'avons pas à nous en mêler. N'importe! ce n'est guère honorable pour la famille.

Moi, si j'étais là, expliqua madame Lerat en pinçant les lèvres, je lui ferais une peur, je lui crierais quelque chose, n'importe quoi: Je te vois! ou bien: V'là les gendarmes!... La domestique d'un médecin m'a dit que son maître lui avait dit que ça pouvait tuer raide une femme, dans un certain moment. Et si elle restait sur la place, n'estce pas? ce serait bien fait, elle se trouverait punie par où elle aurait péché.

Tout le quartier sut bientôt que, chaque nuit, Gervaise allait retrouver Lantier. Madame Lorilleux, devant les voisines, avait une indignation bruyante; elle plaignait son frère, ce jeanjean que sa femme peignait en jaune de la tête aux pieds; et, à l'entendre, si elle entrait encore dans un pareil bazar, c'était uniquement pour sa pauvre mère, qui se trouvait forcée de vivre au milieu de ces abominations. Alors, le quartier tomba sur Gervaise. Ça devait être elle qui avait débauché le chapelier. On voyait ça dans ses yeux. Oui, malgré les vilains bruits, ce sacré sournois de Lantier restait gobé, parce qu'il continuait ses airs d'homme comme il faut avec tout le monde, marchant sur les trottoirs en lisant le journal, prévenant et galant auprès des dames, ayant toujours à donner des pastilles et des fleurs. Mon Dieu! lui, faisait son métier de coq; un homme est un homme, on ne peut pas lui demander de résister aux femmes qui se jettent à son cou. Mais elle, n'avait pas d'excuse; elle déshonorait la rue de la Goutted'Or. Et les Lorilleux, comme parrain et marraine, attiraient Nana chez eux pour avoir des détails. Quand ils la questionnaient d'une façon détournée, la petite prenait son air bêta, répondait en éteignant la flamme de ses yeux sous ses longues paupières molles.

Au milieu de cette indignation publique, Gervaise vivait tranquille, lasse et un peu endormie. Dans les commencements, elle s'était trouvée bien coupable, bien sale, et elle avait eu un dégoût d'ellemême. Quand elle sortait de la chambre de Lantier, elle se lavait les mains, elle mouillait un torchon et se frottait les épaules à les écorcher, comme pour enlever son ordure. Si Coupeau cherchait alors à plaisanter, elle se fâchait, courait en grelottant s'habiller au fond de la boutique; et elle ne tolérait pas davantage que le chapelier la touchât, lorsque son mari venait de l'embrasser. Elle aurait voulu changer de peau en changeant d'homme. Mais, lentement, elle s'accoutumait. C'était trop fatigant de se débarbouiller chaque fois. Ses paresses l'amollissaient, son besoin d'être heureuse lui faisait tirer tout le bonheur possible de ses embêtements. Elle était complaisante pour elle et pour les autres, tâchait uniquement d'arranger les choses de façon à ce que personne n'eût trop d'ennui. N'estce pas? pourvu que son mari et son amant fussent contents, que la maison marchât son petit traintrain régulier, qu'on rigolât du matin au soir, tous gras, tous satisfaits de la vie et se la coulant douce, il n'y avait vraiment pas de quoi se plaindre. Puis, après tout, elle ne devait pas tant faire de mal, puisque ça s'arrangeait si bien, à la satisfaction d'un chacun; on est puni d'ordinaire, quand on fait le mal. Alors, son dévergondage avait tourné à l'habitude. Maintenant, c'était réglé comme le boire et le manger; chaque fois que Coupeau rentrait soûl, elle passait chez Lantier, ce qui arrivait au moins le lundi, le mardi et le mercredi de la semaine. Elle partageait ses nuits. Même, elle avait fini, lorsque le zingueur simplement ronflait trop fort, par le lâcher au beau milieu du sommeil, et allait continuer son dodo tranquille sur l'oreiller du voisin. Ce n'était pas qu'elle éprouvât plus d'amitié pour le chapelier. Non, elle le trouvait seulement plus propre, elle se reposait mieux dans sa chambre, où elle croyait prendre un bain. Enfin, elle ressemblait aux chattes qui aiment à se coucher en rond sur le linge blanc.

Maman Coupeau n'osa jamais parler de ça nettement. Mais, après une dispute, quand la blanchisseuse l'avait secouée, la vieille ne ménageait pas les allusions. Elle disait connaître des hommes joliment bêtes et des femmes joliment coquines; et elle mâchait d'autres mots plus vifs, avec la verdeur de parole d'une ancienne giletière. Les premières fois, Gervaise l'avait regardée fixement, sans répondre. Puis, tout en évitant elle aussi de préciser, elle se défendit, par des raisons dites en général. Quand une femme avait pour homme un soûlard, un saligaud qui vivait dans la pourriture, cette femme était bien excusable de chercher de la propreté ailleurs. Elle allait plus loin, elle laissait entendre que Lantier était son mari autant que Coupeau, peutêtre même davantage. Estce qu'elle ne l'avait pas connu à quatorze ans? estce qu'elle n'avait pas deux enfants de lui? Eh bien! dans ces conditions, tout se pardonnait, personne ne pouvait lui jeter la pierre. Elle se disait dans la loi de la nature. Puis, il ne fallait pas qu'on l'ennuyât. Elle aurait vite fait d'envoyer à chacun son paquet. La rue de la Goutted'Or n'était pas si propre! La petite madame Vigouroux faisait la cabriole du matin au soir dans son charbon. Madame Lehongre, la femme de l'épicier, couchait avec son beaufrère, un grand baveux qu'on n'aurait pas ramassé sur une pelle. L'horloger d'en face, ce monsieur pincé, avait failli passer aux assises, pour une abomination; il allait avec sa propre fille, une effrontée qui roulait les boulevards. Et, le geste élargi, elle indiquait le quartier entier, elle en avait pour une heure rien qu'à étaler le linge sale de tout ce peuple, les gens couchés comme des bêtes, en tas, pères, mères, enfants, se roulant dans leur ordure. Ah! elle en savait, la cochonnerie pissait de partout, ça empoisonnait les maisons d'alentour! Oui, oui, quelque chose de propre que l'homme et la femme, dans ce coin de Paris, où l'on est les uns sur les autres, à cause de la misère! On aurait mis les deux sexes dans un mortier, qu'on en aurait tiré pour toute marchandise de quoi fumer les cerisiers de la plaine SaintDenis.

Ils feraient mieux de ne pas cracher en l'air, ça leur retombe sur le nez, criaitelle, quand on la poussait à bout. Chacun dans son trou, n'estce pas? Qu'ils laissent vivre les braves gens à leur façon, s'ils veulent vivre à la leur... Moi, je trouve que tout est bien, mais à la condition de ne pas être traînée dans le ruisseau par des gens qui s'y promènent, la tête la première.

Et, maman Coupeau s'étant un jour montrée plus claire, elle lui avait dit, les dents serrées:

Vous êtes dans votre lit, vous profitez de ça... Écoutez, vous avez tort, vous voyez bien que je suis gentille, car jamais je ne vous ai jeté à la figure votre vie, à vous! Oh! je sais, une jolie vie, des deux ou trois hommes, du vivant du père Coupeau... Non, ne toussez pas, j'ai fini de causer. C'est seulement pour vous demander de me ficher la paix, voilà tout!

La vieille femme avait manqué étouffer. Le lendemain, Goujet étant venu réclamer le linge de sa mère pendant une absence de Gervaise, maman Coupeau l'appela et le garda longtemps assis devant son lit. Elle connaissait bien l'amitié du forgeron, elle le voyait sombre et malheureux depuis quelque temps, avec le soupçon des vilaines choses qui se passaient. Et, pour bavarder, pour se venger de la dispute de la veille, elle lui apprit la vérité crûment, en pleurant, en se plaignant, comme si la mauvaise conduite de Gervaise lui faisait surtout du tort. Lorsque Goujet sortit du cabinet, il s'appuyait aux murs, suffoquant de chagrin. Puis, au retour de la blanchisseuse, maman Coupeau lui cria qu'on la demandait tout de suite chez madame Goujet, avec le linge repassé ou non; et elle était si animée, que Gervaise flaira les cancans, devina la triste scène et le crèvecoeur dont elle se trouvait menacée.

Très pâle, les membres cassés à l'avance, elle mit le linge dans un panier, elle partit. Depuis des années, elle n'avait pas rendu un sou aux Goujet. La dette montait toujours à quatre cent vingtcinq francs. Chaque fois, elle prenait l'argent du blanchissage, en parlant de sa gêne. C'était une grande honte pour elle, parce qu'elle avait l'air de profiter de l'amitié du forgeron pour le jobarder. Coupeau, moins scrupuleux maintenant, ricanait, disait qu'il avait bien dû lui pincer la taille dans les coins, et qu'alors il était payé. Mais elle, malgré le commerce où elle était tombée avec Lantier, se révoltait, demandait à son mari s'il voulait déjà manger de ce painlà. Il ne fallait pas mal parler de Goujet devant elle; sa tendresse pour le forgeron lui restait comme un coin de son honneur. Aussi, toutes les fois qu'elle reportait le linge chez ces braves gens, se trouvaitelle prise d'un serrement au coeur, dès la première marche de l'escalier.

Ah! c'est vous enfin! lui dit sèchement madame Goujet, en lui ouvrant la porte. Quand j'aurai besoin de la mort, je vous l'enverrai chercher.

Gervaise entra, embarrassée, sans oser même balbutier une excuse. Elle n'était plus exacte, ne venait jamais à l'heure, se faisait attendre des huit jours. Peu à peu, elle s'abandonnait à un grand désordre.

Voilà une semaine que je compte sur vous, continua la dentellière. Et vous mentez avec ça, vous m'envoyez votre apprentie me raconter des histoires: on est après mon linge, on va me le livrer le soir même, ou bien c'est un accident, le paquet qui est tombé dans un seau. Moi, pendant ce tempslà, je perds ma journée, je ne vois rien arriver et je me tourmente l'esprit. Non, vous n'êtes pas raisonnable... Voyons, qu'estce que vous avez, dans ce panier! Estce tout, au moins! M'apportezvous la paire de draps que vous me gardez depuis un mois, et la chemise qui est restée en arrière, au dernier blanchissage?

Oui, oui, murmura Gervaise, la chemise y est. La voici.

Mais madame Goujet se récria. Cette chemise n'était pas à elle, elle n'en voulait pas. On lui changeait son linge, c'était le comble! Déjà, l'autre semaine, elle avait eu deux mouchoirs qui ne portaient pas sa marque. Ça ne la ragoûtait guère, du linge venu elle ne savait d'où. Puis, enfin, elle tenait à ses affaires.

Et les draps? repritelle. Ils sont perdus, n'estce pas?... Eh bien ma petite, il faudra vous arranger, mais je les veux quand même demain matin, entendezvous!

Il y eut un silence. Ce qui achevait de troubler Gervaise, c'était de sentir, derrière elle, la porte de la chambre de Goujet entr'ouverte. Le forgeron devait être là, elle le devinait; et quel ennui, s'il écoutait tous ces reproches mérités, auxquels elle ne pouvait rien répondre! Elle se faisait très souple, très douce, courbant la tête, posant le linge sur le lit le plus vivement possible. Mais ça se gâta encore, quand madame Goujet se mit à examiner les pièces une à une. Elle les prenait, les rejetait, en disant:

Ah! vous perdez joliment la main. On ne peut plus vous faire des compliments tous les jours... Oui, vous salopez, vous cochonnez l'ouvrage, à cette heure... Tenez, regardezmoi ce devant de chemise, il est brûlé, le fer a marqué sur les plis. Et les boutons, ils sont tous arrachés. Je ne sais pas comment vous vous arrangez, il ne reste jamais un bouton... Oh! par exemple, voilà une camisole que je ne vous paierai pas. Voyez donc ça? La crasse y est, vous l'avez étalée simplement. Merci! si le linge n'est même plus propre...

Elle s'arrêta, comptant les pièces. Puis, elle s'écria:

Comment! c'est ce que vous apportez?...Il manque deux paires de bas, six serviettes, une nappe, des torchons... Vous vous moquez de moi, alors! Je vous ai fait dire de tout me rendre, repassé ou non. Si dans une heure votre apprentie n'est pas ici avec le reste, nous nous fâcherons, madame Coupeau, je vous en préviens.

A ce moment, Goujet toussa dans sa chambre. Gervaise eut un léger tressaillement. Comme on la traitait devant lui, mon Dieu! Et elle resta au milieu de la chambre, gênée, confuse, attendant le linge sale. Mais, après avoir arrêté le compte, madame Goujet avait tranquillement repris sa place près de la fenêtre, travaillant au raccommodage d'un châle de dentelle.

Et le linge? demanda timidement la blanchisseuse.

Non, merci, répondit la vieille femme, il n'y a rien cette semaine.

Gervaise pâlit. On lui retirait la pratique. Alors, elle perdit complètement la tête, elle dut s'asseoir sur une chaise, parce que ses jambes s'en allaient sous elle. Et elle ne chercha pas à se défendre, elle trouva seulement cette phrase:

Monsieur Goujet est donc malade?

Oui, il était souffrant, il avait dû rentrer au lieu de se rendre à la forge, et il venait de s'étendre sur son lit pour se reposer. Madame Goujet causait gravement, en robe noire comme toujours, sa face blanche encadrée dans sa coiffe monacale. On avait encore baissé la journée des boulonniers; de neuf francs, elle était tombée à sept francs, à cause des machines qui maintenant faisaient toute la besogne. Et elle expliquait qu'ils économisaient sur tout; elle voulait de nouveau laver son linge ellemême. Naturellement, ce serait bien tombé, si les Coupeau lui avaient rendu l'argent prêté par son fils. Mais ce n'était pas elle qui leur enverrait les huissiers, puisqu'ils ne pouvaient pas payer. Depuis qu'elle parlait de la dette, Gervaise, la tête basse, semblait suivre le jeu agile de son aiguille reformant les mailles une à une.

Pourtant, continuait la dentellière, en vous gênant un peu, vous arriveriez à vous acquitter. Car, enfin, vous mangez très bien, vous dépensez beaucoup, j'en suis sûre... Quand vous nous donneriez seulement dix francs chaque mois...

Elle fut interrompue par la voix de Goujet qui l'appelait.

Maman! maman!

Et, lorsqu'elle revint s'asseoir, presque tout de suite, elle changea de conversation. Le forgeron l'avait sans doute suppliée de ne pas demander de l'argent à Gervaise. Mais, malgré elle, au bout de cinq minutes, elle parlait de nouveau de la dette. Oh! elle avait prévu ce qui arrivait, le zingueur buvait la boutique, et il mènerait sa femme loin. Aussi jamais son fils n'aurait prêté les cinq cents francs, s'il l'avait écoutée. Aujourd'hui, il serait marié, il ne crèverait pas de tristesse, avec la perspective d'être malheureux toute sa vie. Elle s'animait, elle devenait très dure, accusant clairement Gervaise de s'être entendue avec Coupeau pour abuser de son bêta d'enfant. Oui, il y avait des femmes qui jouaient l'hypocrisie pendant des années et dont la mauvaise conduite finissait par éclater au grand jour.

Maman! maman! appela une seconde fois la voix de Goujet, plus violemment.

Elle se leva, et, quand elle reparut, elle dit, en se remettant à sa dentelle:

Entrez, il veut vous voir.

Gervaise, tremblante, laissa la porte ouverte. Cette scène l'émotionnait, parce que c'était comme un aveu de leur tendresse devant madame Goujet. Elle retrouva la petite chambre tranquille, tapissée d'images, avec son lit de fer étroit, pareille à la chambre d'un garçon de quinze ans. Ce grand corps de Goujet, les membres cassés par la confidence de maman Coupeau, était allongé sur le lit, les yeux rouges, sa belle barbe jaune encore mouillée. Il devait avoir défoncé son oreiller de ses poings terribles, dans le premier moment de rage, car la toile fendue laissait couler la plume.

Écoutez, maman a tort, ditil à la blanchisseuse d'une voix presque basse. Vous ne me devez rien, je ne veux pas qu'on parle de ça.

Il s'était soulevé, il la regardait. De grosses larmes aussitôt remontèrent à ses yeux.

Vous souffrez, monsieur Goujet? murmuratelle. Qu'estce que vous avez, je vous en prie?

Rien, merci. Je me suis trop fatigué hier. Je vais dormir un peu.

Puis, son coeur se brisa, il ne put retenir ce cri:

Ah! mon Dieu! mon Dieu! jamais ça ne devait être, jamais! Vous aviez juré. Et ça est, maintenant, ça est!... Ah! mon Dieu! ça me fait trop de mal, allezvousen!

Et, de la main, il la renvoyait, avec une douceur suppliante. Elle n'approcha pas du lit, elle s'en alla, comme il le demandait, stupide, n'ayant rien à lui dire pour le soulager. Dans la pièce d'à côté, elle reprit son panier; et elle ne sortait toujours pas, elle aurait voulu trouver un mot. Madame Goujet continuait son raccommodage, sans lever la tête. Ce fut elle qui dit enfin:

Eh bien! bonsoir, renvoyezmoi mon linge, nous compterons plus tard.

Oui, c'est ça, bonsoir, balbutia Gervaise.

Elle referma la porte lentement, avec un dernier coup d'oeil dans ce ménage propre, rangé, où il lui semblait laisser quelque chose de son honnêteté. Elle revint à la boutique de l'air bête des vaches qui rentrent chez elles, sans s'inquiéter du chemin. Maman Coupeau, sur une chaise, près de la mécanique, quittait son lit pour la première fois. Mais la blanchisseuse ne lui fit pas même un reproche; elle était trop fatiguée, les os malades comme si on l'avait battue; elle pensait que la vie était trop dure à la fin, et qu'à moins de crever tout de suite, on ne pouvait pourtant pas s'arracher le coeur soimême.

Maintenant, Gervaise se moquait de tout. Elle avait un geste vague de la main pour envoyer coucher le monde. A chaque nouvel ennui, elle s'enfonçait dans le seul plaisir de faire ses trois repas par jour. La boutique aurait pu crouler; pourvu qu'elle ne fût pas dessous, elle s'en serait allée volontiers, sans une chemise. Et la boutique croulait, pas tout d'un coup, mais un peu matin et soir. Une à une, les pratiques se fâchaient et portaient leur linge ailleurs. M. Madinier, mademoiselle Remanjou, les Boche euxmêmes, étaient retournés chez madame Fauconnier, où ils trouvaient plus d'exactitude. On finit par se lasser de réclamer une paire de bas pendant trois semaines et de remettre des chemises avec les taches de graisse de l'autre dimanche. Gervaise, sans perdre un coup de dents, leur criait bon voyage, les arrangeait d'une propre manière, en se disant joliment contente de ne plus avoir à fouiller dans leur infection. Ah bien! tout le quartier pouvait la lâcher, ça la débarrasserait d'un beau tas d'ordures; puis, ce serait toujours de l'ouvrage de moins. En attendant, elle gardait seulement les mauvaises payes, les rouleuses, les femmes comme madame Gaudron, dont pas une blanchisseuse de la rue Neuve ne voulait laver le linge, tant il puait. La boutique était perdue, elle avait dû renvoyer sa dernière ouvrière, madame Putois; elle restait seule avec son apprentie, ce louchon d'Augustine, qui bêtissait en grandissant; et encore, à elles deux, elles n'avaient pas toujours de l'ouvrage, elles traînaient leur derrière sur les tabourets durant des aprèsmidi entières. Enfin, un plongeon complet. Ça sentait la ruine.

Naturellement, à mesure que la paresse et la misère entraient, la malpropreté entrait aussi. On n'aurait pas reconnu cette belle boutique bleue, couleur du ciel, qui était jadis l'orgueil de Gervaise. Les boiseries et les carreaux de la vitrine, qu'on oubliait de laver, restaient du haut en bas éclaboussés par la crotte des voitures. Sur les planches, à la tringle de laiton, s'étalaient trois guenilles grises, laissées par des clientes mortes à l'hôpital. Et c'était plus minable encore à l'intérieur: l'humidité des linges séchant au plafond avait décollé le papier; la perse pompadour étalait des lambeaux qui pendaient pareils à des toiles d'araignée lourdes de poussière; la mécanique, cassée, trouée à coups de tisonnier, mettait dans son coin les débris de vieille fonte d'un marchand de bricàbrac; l'établi semblait avoir servi de table à toute une garnison, taché de café et de vin, emplâtré de confiture, gras des lichades du lundi. Avec ça, une odeur d'amidon aigre, une puanteur faite de moisi, de graillon et de crasse. Mais Gervaise se trouvait très bien là dedans. Elle n'avait pas vu la boutique se salir; elle s'y abandonnait et s'habituait au papier déchiré, aux boiseries graisseuses, comme elle en arrivait à porter des jupes fendues et à ne plus se laver les oreilles. Même la saleté était un nid chaud où elle jouissait de s'accroupir. Laisser les choses à la débandade, attendre que la poussière bouchât les trous et mît un velours partout, sentir la maison s'alourdir autour de soi dans un engourdissement de fainéantise, cela était une vraie volupté dont elle se grisait. Sa tranquillité d'abord; le reste, elle s'en battait l'oeil. Les dettes, toujours croissantes pourtant, ne la tourmentaient plus. Elle perdait de sa probité; on paierait ou on ne paierait pas, la chose restait vague, et elle préférait ne pas savoir. Quand on lui fermait un crédit dans une maison, elle en ouvrait un autre dans la maison d'à côté. Elle brûlait le quartier, elle avait des poufs tous les dix pas. Rien que dans la rue de la Goutted'Or, elle n'osait plus passer devant le charbonnier, ni devant l'épicier, ni devant la fruitière; ce qui lui faisait faire le tour par la rue des Poissonniers, quand elle allait au lavoir, une trotte de dix bonnes minutes. Les fournisseurs venaient la traiter de coquine. Un soir, l'homme qui avait vendu les meubles de Lantier, ameuta les voisins; il gueulait qu'il la trousserait et se paierait sur la bête, si elle ne lui allongeait pas sa monnaie. Bien sûr, de pareilles scènes la laissaient tremblante; seulement, elle se secouait comme un chien battu, et c'était fini, elle n'en dînait pas plus mal, le soir. En voilà des insolents qui l'embêtaient! elle n'avait point d'argent, elle ne pouvait pas en fabriquer, peutêtre! Puis, les marchands volaient assez, ils étaient faits pour attendre. Et elle se rendormait dans son trou, en évitant de songer à ce qui arriverait forcément un jour. Elle ferait le saut, parbleu! mais, jusquelà, elle entendait ne pas être taquinée.

Pourtant, maman Coupeau était remise. Pendant une année encore, la maison boulotta. L'été, naturellement, il y avait toujours un peu plus de travail, les jupons blancs et les robes de percale des baladeuses du boulevard extérieur. Ça tournait à la dégringolade lente, le nez davantage dans la crotte chaque semaine, avec des hauts et des bas cependant, des soirs où l'on se frottait le ventre devant le buffet vide, et d'autres où l'on mangeait du veau à crever. On ne voyait plus que maman Coupeau sur les trottoirs, cachant des paquets sous son tablier, allant d'un pas de promenade au MontdePiété de la rue Polonceau. Elle arrondissait le dos, avait la mine confite et gourmande d'une dévote qui va à la messe; car elle ne détestait pas ça, les tripotages d'argent l'amusaient, ce bibelotage de marchande à la toilette chatouillait ses passions de vieille commère. Les employés de la rue Polonceau la connaissaient bien; ils l'appelaient la mère « Quatre francs », parce qu'elle demandait toujours quatre francs, quand ils en offraient trois, sur ses paquets gros comme deux sous de beurre. Gervaise aurait bazardé la maison; elle était prise de la rage du clou, elle se serait tondu la tête, si on avait voulu lui prêter sur ses cheveux. C'était trop commode, on ne pouvait pas s'empêcher d'aller chercher là de la monnaie, lorsqu'on attendait après un pain de quatre livres. Tout le saintfrusquin y passait, le linge, les habits, jusqu'aux outils et aux meubles. Dans les commencements, elle profitait des bonnes semaines, pour dégager, quitte à rengager la semaine suivante. Puis, elle se moqua de ses affaires, les laissa perdre, vendit les reconnaissances. Une seule chose lui fendit le coeur, ce fut de mettre sa pendule en plan, pour payer un billet de vingt francs à un huissier qui venait la saisir. Jusquelà, elle avait juré de mourir plutôt de faim que de toucher à sa pendule. Quand maman Coupeau l'emporta, dans une petite caisse à chapeau, elle tomba sur une chaise, les bras mous, les yeux mouillés, comme si on lui enlevait sa fortune. Mais, lorsque maman Coupeau reparut avec vingtcinq francs, ce prêt inespéré, ces cinq francs de bénéfice la consolèrent; elle renvoya tout de suite la vieille femme chercher quatre sous de goutte dans un verre, à la seule fin de fêter la pièce de cent sous. Souvent maintenant, lorsqu'elles s'entendaient bien ensemble, elles lichaient ainsi la goutte, sur un coin de l'établi, un mêlé, moitié eaudevie et moitié cassis. Maman Coupeau avait un chic pour rapporter le verre plein dans la poche de son tablier, sans renverser une larme. Les voisins n'avaient pas besoin de savoir, n'estce pas? La vérité était que les voisins savaient parfaitement. La fruitière, la tripière, les garçons épiciers disaient: « Tiens! la vieille va chez ma tante, » ou bien: « Tiens! la vieille rapporte son riquiqui dans sa poche. » Et, comme de juste, ça montait encore le quartier contre Gervaise. Elle bouffait tout, elle aurait bientôt fait d'achever sa baraque. Oui, oui, plus que trois ou quatre bouchées, la place serait nette comme torchette.

Au milieu de ce démolissement général, Coupeau prospérait. Ce sacré soiffard se portait comme un charme. Le pichenet et le vitriol l'engraissaient, positivement. Il mangeait beaucoup, se fichait de cet efflanqué de Lorilleux qui accusait la boisson de tuer les gens, lui répondait en se tapant sur le ventre, la peau tendue par la graisse, pareille à là peau d'un tambour. Il lui exécutait làdessus une musique, les vêpres de la gueule, des roulements et des battements de grosse caisse à faire la fortune d'un arracheur de dents. Mais Lorilleux, vexé de ne pas avoir de ventre, disait que c'était de la graisse jaune, de la mauvaise graisse. N'importe, Coupeau se soûlait davantage, pour sa santé. Ses cheveux poivre et sel, en coup de vent, flambaient comme un brûlot. Sa face d'ivrogne, avec sa mâchoire de singe, se culottait, prenait des tons de vin bleu. Et il restait un enfant de la gaieté; il bousculait sa femme, quand elle s'avisait de lui conter ses embarras. Estce que les hommes sont faits pour descendre dans ces embêtements? La cambuse pouvait manquer de pain, ça ne le regardait pas. Il lui fallait sa pâtée matin et soir, et il ne s'inquiétait jamais d'où elle lui tombait. Lorsqu'il passait des semaines sans travailler, il devenait plus exigeant encore. D'ailleurs, il allongeait toujours des claques amicales sur les épaules de Lantier. Bien sûr, il ignorait l'inconduite de sa femme; du moins des personnes, les Boche, les Poisson, juraient leurs grands dieux qu'il ne se doutait de rien, et que ce serait un grand malheur, s'il apprenait jamais la chose. Mais madame Lerat, sa propre soeur, hochait la tête, racontait qu'elle connaissait des maris auxquels ça ne déplaisait pas. Une nuit, Gervaise ellemême, qui revenait de la chambre du chapelier, était restée toute froide en recevant, dans l'obscurité, une tape sur le derrière; puis, elle avait fini par se rassurer, elle croyait s'être cognée contre le bateau du lit. Vrai, la situation était trop terrible; son mari ne pouvait pas s'amuser à lui faire des blagues.

Lantier, lui non plus, ne dépérissait pas. Il se soignait beaucoup, mesurait son ventre à la ceinture de son pantalon, avec la continuelle crainte d'avoir à resserrer ou à desserrer la boucle; il se trouvait très bien, il ne voulait ni grossir ni mincir, par coquetterie. Cela le rendait difficile sur la nourriture, car il calculait tous les plats de façon à ne pas changer sa taille. Même quand il n'y avait pas un sou à la maison, il lui fallait des oeufs, des côtelettes, des choses nourrissantes et légères. Depuis qu'il partageait la patronne avec le mari, il se considérait comme tout à fait de moitié dans le ménage; il ramassait les pièces de vingt sous qui traînaient, menait Gervaise au doigt et à l'oeil, grognait, gueulait, avait l'air plus chez lui que le zingueur. Enfin, c'était une baraque qui avait deux bourgeois. Et le bourgeois d'occasion, plus malin, tirait à lui la couverture, prenait le dessus du panier de tout, de la femme, de la table et du reste. Il écrémait les Coupeau, quoi! Il ne se gênait plus pour battre son beurre en public. Nana restait sa préférée, parce qu'il aimait les petites filles gentilles. Il s'occupait de moins en moins d'Étienne, les garçons, selon lui, devant savoir se débrouiller. Lorsqu'on venait demander Coupeau, on le trouvait toujours là, en pantoufles, en manches de chemise, sortant de l'arrièreboutique avec la tête ennuyée d'un mari qu'on dérange; et il répondait pour Coupeau, il disait que c'était la même chose.

Entre ces deux messieurs, Gervaise ne riait pas tous les jours. Elle n'avait pas à se plaindre de sa santé, Dieu merci! Elle aussi devenait trop grasse. Mais deux hommes sur le dos, à soigner et à contenter, ça dépassait ses forces, souvent. Ah! Dieu de Dieu! un seul mari vous esquinte déjà assez le tempérament! Le pis était qu'ils s'entendaient très bien, ces mâtinslà. Jamais ils ne se disputaient; ils se ricanaient dans la figure, le soir, après le dîner, les coudes posés au bord de la table; ils se frottaient l'un contre l'autre toute la journée, comme les chats qui cherchent et cultivent leur plaisir. Les jours où ils rentraient furieux, c'était sur elle qu'ils tombaient. Allezy! tapez sur la bête! Elle avait bon dos; ça les rendait meilleurs camarades de gueuler ensemble. Et il ne fallait pas qu'elle s'avisât de se rebéquer. Dans les commencements, quand l'un criait, elle suppliait l'autre du coin de l'oeil, pour en tirer une parole de bonne amitié. Seulement, ça ne réussissait guère. Elle filait doux maintenant, elle pliait ses grosses épaules, ayant compris qu'ils s'amusaient à la bousculer, tant elle était ronde, une vraie boule. Coupeau, très mal embouché, la traitait avec des mots abominables. Lantier, au contraire, choisissait ses sottises, allait chercher des mots que personne ne dit et qui la blessaient plus encore. Heureusement, on s'accoutume à tout; les mauvaises paroles, les injustices des deux hommes finissaient par glisser sur sa peau fine comme sur une toile cirée. Elle en était même arrivée à les préférer en colère, parce que, les fois où ils faisaient les gentils, ils l'assommaient davantage, toujours après elle, ne lui laissant plus repasser un bonnet tranquillement. Alors, ils lui demandaient des petits plats, elle devait saler et ne pas saler, dire blanc et dire noir, les dorloter, les coucher l'un après l'autre dans du coton. Au bout de la semaine, elle avait la tête et les membres cassés, elle restait hébétée, avec des yeux de folle. Ça use une femme, un métier pareil.

Oui, Coupeau et Lantier l'usaient, c'était le mot; ils la brûlaient par les deux bouts, comme on dit de la chandelle. Bien sûr, le zingueur manquait d'instruction; mais le chapelier en avait trop, ou du moins il avait une instruction comme les gens pas propres ont une chemise blanche avec de la crasse pardessous. Une nuit, elle rêva qu'elle était au bord d'un puits; Coupeau la poussait d'un coup de poing, tandis que Lantier lui chatouillait les reins pour la faire sauter plus vite. Eh bien! ça ressemblait à sa vie. Ah! elle était à bonne école, ça n'avait rien d'étonnant, si elle s'avachissait. Les gens du quartier ne se montraient guère justes, quand ils lui reprochaient les vilaines façons qu'elle prenait, car son malheur ne venait pas d'elle. Parfois, lorsqu'elle réfléchissait, un frisson lui courait sur la peau. Puis, elle pensait que les choses auraient pu tourner plus mal encore. Il valait mieux avoir deux hommes, par exemple, que de perdre les deux bras. Et elle trouvait sa position naturelle, une position comme il y en a tant; elle tâchait de s'arranger là dedans un petit bonheur. Ce qui prouvait combien ça devenait popote et bonhomme, c'était qu'elle ne détestait pas plus Coupeau que Lantier. Dans une pièce, à la Gaîté, elle avait vu une garce qui abominait son mari et l'empoisonnait, à cause de son amant; et elle s'était fâchée, parce qu'elle ne sentait rien de pareil dans son coeur. Estce qu'il n'était pas plus raisonnable de vivre en bon accord tous les trois? Non, non, pas de ces bêtiseslà; ça dérangeait la vie, qui n'avait déjà rien de bien drôle. Enfin, malgré les dettes, malgré la misère qui les menaçait, elle se serait déclarée très tranquille, très contente, si le zingueur et le chapelier l'avaient moins échinée et moins engueulée.

Vers l'automne, malheureusement, le ménage se gâta encore. Lantier prétendait maigrir, faisait un nez qui s'allongeait chaque jour. Il renaudait à propos de tout, renâclait sur les potées de pommes de terre, une ratatouille dont il ne pouvait pas manger, disaitil, sans avoir des coliques. Les moindres bisbilles, maintenant, finissaient par des attrapages, où l'on se jetait la débine de la maison à la tête; et c'était le diable pour se rabibocher, avant d'aller pioncer chacun dans son dodo. Quand il n'y a plus de son, les ânes se battent, n'estce pas? Lantier flairait la panne; ça l'exaspérait de sentir la maison déjà mangée, si bien nettoyée, qu'il voyait le jour où il lui faudrait prendre son chapeau et chercher ailleurs la niche et la pâtée. Il était bien accoutumé à son trou, ayant pris là ses petites habitudes, dorloté par tout le monde; un vrai pays de cocagne, dont il ne remplacerait jamais les douceurs. Dame! on ne peut pas s'être empli jusqu'aux oreilles et avoir encore les morceaux sur son assiette. Il se mettait en colère contre son ventre, après tout, puisque la maison à cette heure était dans son ventre. Mais il ne raisonnait point ainsi; il gardait aux autres une fière rancune de s'être laissé rafaler en deux ans. Vrai, les Coupeau n'étaient guère râblés. Alors, il cria que Gervaise manquait d'économie. Tonnerre de Dieu! qu'estce qu'on allait devenir? Juste les amis le lâchaient, lorsqu'il était sur le point de conclure une affaire superbe, six mille francs d'appointements dans une fabrique, de quoi mettre toute la petite famille dans le luxe.

En décembre, un soir, on dîna par coeur. Il n'y avait plus un radis. Lantier, très sombre, sortait de bonne heure, battait le pavé pour trouver une autre cambuse, où l'odeur de la cuisine déridât les visages. Il restait des heures à réfléchir, près de la mécanique. Puis, tout d'un coup, il montra une grande amitié pour les Poisson. Il ne blaguait plus le sergent de ville en l'appelant Badingue, allait jusqu'à lui concéder que l'empereur était un bon garçon, peutêtre. Il paraissait surtout estimer Virginie, une femme de tête, disaitil, et qui saurait joliment mener sa barque. C'était visible, il les pelotait. Même on pouvait croire qu'il voulait prendre pension chez eux. Mais il avait une caboche à double fond, beaucoup plus compliquée que ça. Virginie lui ayant dit son désir de s'établir marchande de quelque chose, il se roulait devant elle, il déclarait ce projetlà très fort. Oui, elle devait être bâtie pour le commerce, grande, avenante, active. Oh! elle gagnerait ce qu'elle voudrait. Puisque l'argent était prêt depuis longtemps, l'héritage d'une tante, elle avait joliment raison de lâcher les quatre robes qu'elle bâclait par saison, pour se lancer dans les affaires; et il citait des gens en train de réaliser des fortunes, la fruitière du coin de la rue, une petite marchande de faïence du boulevard extérieur; car le moment était superbe, on aurait vendu les balayures des comptoirs. Cependant, Virginie hésitait; elle cherchait une boutique à louer, elle désirait ne pas quitter le quartier. Alors, Lantier l'emmena dans les coins, causa tout bas avec elle pendant des dix minutes. Il semblait lui pousser quelque chose de force, et elle ne disait plus non, elle avait l'air de l'autoriser à agir. C'était comme un secret entre eux, avec des clignements d'yeux, des mots rapides, une sourde machination qui se trahissait jusque dans leurs poignées de mains. Dès ce moment, le chapelier, en mangeant son pain sec, guetta les Coupeau de son regard en dessous, redevenu très parleur, les étourdissant de ses jérémiades continues. Toute la journée, Gervaise marchait dans cette misère qu'il étalait complaisamment. Il ne parlait pas pour lui, grand Dieu! Il crèverait la faim avec les amis tant qu'on voudrait. Seulement, la prudence exigeait qu'on se rendît compte au juste de la situation. On devait pour le moins cinq cents francs dans le quartier, au boulanger, au charbonnier, à l'épicier et aux autres. De plus, on se trouvait en retard de deux termes, soit encore deux cent cinquante francs; le propriétaire, M. Marescot, parlait même de les expulser, s'ils ne le payaient pas avant le 1er janvier. Enfin, le MontdePiété avait tout pris, on n'aurait pas pu y porter pour trois francs de bibelots, tellement le lavage du logement était sérieux; les clous restaient aux murs, pas davantage, et il y en avait bien deux livres de trois sous. Gervaise, empêtrée là dedans, les bras cassés par cette addition, se fâchait, donnait des coups de poing sur la table, ou bien finissait par pleurer comme une bête. Un soir, elle cria:

Je file demain, moi!... J'aime mieux mettre la clef sous la porte et coucher sur le trottoir, que de continuer à vivre dans des transes pareilles.

Il serait plus sage, dit sournoisement Lantier, de céder le bail, si l'on trouvait quelqu'un... Lorsque vous serez décidés tous les deux à lâcher la boutique...

Elle l'interrompit avec plus de violence:

Mais tout de suite, tout de suite!... Ah! je serais joliment débarrassée!

Alors, le chapelier se montra très pratique. En cédant le bail, on obtiendrait sans doute du nouveau locataire les deux termes en retard. Et il se risqua à parler des Poisson, il rappela que Virginie cherchait un magasin; la boutique lui conviendrait peutêtre. Il se souvenait à présent de lui en avoir entendu souhaiter une toute semblable. Mais la blanchisseuse, au nom de Virginie, avait subitement repris son calme. On verrait; on parlait toujours de planter là son chez soi dans la colère, seulement la chose ne semblait pas si facile, quand on réfléchissait.

Les jours suivants, Lantier eut beau recommencer ses litanies, Gervaise répondait qu'elle s'était vue plus bas et s'en était tirée. La belle avance, lorsqu'elle n'aurait plus sa boutique! Ça ne lui donnerait pas du pain. Elle allait, au contraire, reprendre des ouvrières et se faire une nouvelle clientèle. Elle disait cela pour se débattre contre les bonnes raisons du chapelier, qui la montrait par terre, écrasée sous les frais, sans le moindre espoir de remonter sur sa bête. Mais il eut la maladresse de prononcer encore le nom de Virginie, et elle s'entêta alors furieusement. Non, non, jamais! Elle avait toujours douté du coeur de Virginie; si Virginie ambitionnait la boutique, c'était pour l'humilier. Elle l'aurait cédée peutêtre à la première femme dans la rue, mais pas à cette grande hypocrite qui attendait certainement depuis des années de lui voir faire le saut. Oh! ça expliquait tout. Elle comprenait à présent pourquoi des étincelles jaunes s'allumaient dans les yeux de chat de cette margot. Oui, Virginie gardait sur la conscience la fessée du lavoir, elle mijotait sa rancune dans la cendre. Eh bien, elle agirait prudemment en mettant sa fessée sous verre, si elle ne voulait pas en recevoir une seconde. Et ça ne serait pas long, elle pouvait apprêter son pétard. Lantier, devant ce débordement de mauvaises paroles, remoucha d'abord Gervaise; il l'appela tête de pioche, boîte à ragots, madame Pétesec, et s'emballa au point de traiter Coupeau luimême de pedzouille, en l'accusant de ne pas savoir faire respecter un ami par sa femme. Puis, comprenant que la colère allait tout compromettre, il jura qu'il ne s'occuperait jamais plus des histoires des autres, car on en est trop mal récompensé; et il parut, en effet, ne pas pousser davantage à la cession du bail, guettant une occasion pour reparler de l'affaire et décider la blanchisseuse.

Janvier était arrivé, un sale temps, humide et froid. Maman Coupeau, qui avait toussé et étouffé tout décembre, dut se coller dans le lit, après les Rois. C'était sa rente; chaque hiver, elle attendait ça. Mais, cet hiver, autour d'elle, on disait qu'elle ne sortirait plus de sa chambre que les pieds en avant; et elle avait, à la vérité, un fichu râle qui sonnait joliment le sapin, grosse et grasse pourtant, avec un oeil déjà mort et la moitié de la figure tordue. Bien sûr, ses enfants ne l'auraient pas achevée; seulement, elle traînait depuis si longtemps, elle était si encombrante, qu'on souhaitait sa mort, au fond, comme une délivrance pour tout le monde. Ellemême serait beaucoup plus heureuse, car elle avait fait son temps, n'estce pas? et quand on a fait son temps, on n'a rien à regretter. Le médecin, appelé une fois, n'était même pas revenu. On lui donnait de la tisane, histoire de ne pas l'abandonner complètement. Toutes les heures, on entrait voir si elle vivait encore. Elle ne parlait plus, tant elle suffoquait; mais, de son oeil resté bon, vivant et clair, elle regardait fixement les personnes; et il y avait bien des choses dans cet oeillà, des regrets du bel âge, des tristesses à voir les siens si pressés de se débarrasser d'elle, des colères contre cette vicieuse de Nana qui ne se gênait plus, la nuit, pour aller guetter en chemise par la porte vitrée.

Un lundi soir, Coupeau rentra paf. Depuis que sa mère était en danger, il vivait dans un attendrissement continu. Quand il fut couché, ronflant à poings fermés, Gervaise tourna encore un instant. Elle veillait maman Coupeau une partie de la nuit. D'ailleurs, Nana se montrait très brave, couchait toujours auprès de la vieille, en disant que, si elle l'entendait mourir, elle avertirait bien tout le monde. Cette nuitlà, comme la petite dormait et que la malade semblait sommeiller paisiblement, la blanchisseuse finit par céder à Lantier, qui l'appelait de sa chambre, où il lui conseillait de venir se reposer un peu. Ils gardèrent seulement une bougie allumée, posée à terre, derrière l'armoire. Mais, vers trois heures, Gervaise sauta brusquement du lit, grelottante, prise d'une angoisse. Elle avait cru sentir un souffle froid lui passer sur le corps. Le bout de bougie était brûlé, elle renouait ses jupons dans l'obscurité, étourdie, les mains fiévreuses. Ce fut seulement dans le cabinet, après s'être cognée aux meubles, qu'elle put allumer une petite lampe. Au milieu du silence écrasé des ténèbres, les ronflements du zingueur mettaient seuls deux notes graves. Nana, étalée sur le dos, avait un petit souffle, entre ses lèvres gonflées. Et Gervaise, ayant baissé la lampe qui faisait danser de grandes ombres, éclaira le visage de maman Coupeau, la vit toute blanche, la tête roulée sur l'épaule, avec les yeux ouverts. Maman Coupeau était morte.

Doucement, sans pousser un cri, glacée et prudente, la blanchisseuse revint dans la chambre de Lantier. Il s'était rendormi. Elle se pencha, en murmurant:

Dis donc, c'est fini, elle est morte.

Tout appesanti de sommeil, mal éveillé, il grogna d'abord:

Fichemoi la paix, couchetoi... Nous ne pouvons rien lui faire, si elle est morte.

Puis, il se leva sur un coude, demandant:

Quelle heure estil?

Trois heures.

Trois heures seulement! Couchetoi donc. Tu vas prendre du mal...
Lorsqu'il fera jour, on verra.
Mais elle ne l'écoutait pas, elle s'habillait complètement. Lui, alors, se recolla sous la couverture, le nez contre la muraille, en parlant de la sacrée tête des femmes. Estce que c'était pressé d'annoncer au monde qu'il y avait un mort dans le logement? Ça manquait

de gaieté au milieu de la nuit, et il était exaspéré de voir son sommeil gâté par des idées noires. Cependant, quand elle eut reporté dans sa chambre ses affaires, jusqu'à ses épingles à cheveux, elle s'assit chez elle, sanglotant à son aise, ne craignant plus d'être surprise avec le chapelier. Au fond, elle aimait bien maman Coupeau, elle éprouvait un gros chagrin, après n'avoir ressenti, dans le premier moment, que de la peur et de l'ennui, en lui voyant choisir si mal son heure pour s'en aller. Et elle pleurait toute seule, très fort dans le silence, sans que le zingueur cessât de ronfler; il n'entendait rien, elle l'avait appelé et secoué, puis elle s'était décidée à le laisser tranquille, en réfléchissant que ce serait un nouvel embarras, s'il se réveillait. Comme elle retournait auprès du corps, elle trouva Nana sur son séant, qui se frottait les yeux. La petite comprit, allongea le menton pour mieux voir sa grand'mère, avec sa curiosité de gamine vicieuse; elle ne disait rien, elle était un peu tremblante, étonnée et satisfaite en face de cette mort qu'elle se promettait depuis deux jours, comme une vilaine chose, cachée et défendue aux enfants; et, devant ce masque blanc, aminci au dernier hoquet par la passion de la vie, ses prunelles de jeune chatte s'agrandissaient, elle avait cet engourdissement de l'échine dont elle était clouée derrière les vitres de la porte, quand elle allait moucharder là ce qui ne regarde pas les morveuses.

Allons, lèvetoi, lui dit sa mère à voix basse. Je ne veux pas que tu restes.

Elle se laissa couler du lit à regret, tournant la tête, ne quittant pas la morte du regard. Gervaise était fort embarrassée d'elle, ne sachant où la mettre, en attendant le jour. Elle se décidait à la faire habiller, lorsque Lantier, en pantalon et en pantoufles, vint la rejoindre; il ne pouvait plus dormir, il avait un peu honte de sa conduite. Alors, tout s'arrangea.

Qu'elle se couche dans mon lit, murmuratil. Elle aura de la place.

Nana leva sur sa mère et sur Lantier ses grands yeux clairs, en prenant son air bête, son air du jour de l'an, quand on lui donnait des pastilles de chocolat. Et on n'eut pas besoin de la pousser, bien sûr; elle trotta en chemise, ses petons nus effleurant à peine le carreau; elle se glissa comme une couleuvre dans le lit, qui était encore tout chaud, et s'y tint allongée, enfoncée, son corps fluet bossuant à peine la couverture. Chaque fois que sa mère entra, elle la vit les yeux luisants dans sa face muette, ne dormant pas, ne bougeant pas, très rouge et paraissant réfléchir à des affaires.

Cependant, Lantier avait aidé Gervaise à habiller maman Coupeau; et ce n'était pas une petite besogne, car la morte pesait son poids. Jamais on n'aurait cru que cette vieillelà était si grasse et si blanche. Ils lui avaient mis des bas, un jupon blanc, une camisole, un bonnet; enfin son linge le meilleur. Coupeau ronflait toujours, deux notes, l'une grave, qui descendait, l'autre sèche, qui remontait; on aurait dit de la musique d'église, accompagnant les cérémonies du vendredi saint. Aussi, quand la morte fut habillée et proprement étendue sur son lit, Lantier se versatil un verre de vin, pour se remettre, car il avait le coeur à l'envers. Gervaise fouillait dans la commode, cherchant un petit crucifix en cuivre, apporté par elle de Plassans; mais elle se rappela que maman Coupeau ellemême devait l'avoir vendu. Ils avaient allumé le poêle. Ils passèrent le reste de la nuit, à moitié endormis sur des chaises, achevant le litre entamé, embêtés et se boudant, comme si c'était de leur faute.

Vers sept heures, avant le jour, Coupeau se réveilla enfin. Quand il apprit le malheur, il resta l'oeil sec d'abord, bégayant, croyant vaguement qu'on lui faisait une farce. Puis, il se jeta par terre, il alla tomber devant la morte; et il l'embrassait, il pleurait comme un veau, avec de si grosses larmes, qu'il mouillait le drap en s'essuyant les joues. Gervaise s'était remise à sangloter, très touchée de la douleur de son mari, raccommodée avec lui; oui, il avait le fond meilleur qu'elle ne le croyait. Le désespoir de Coupeau se mêlait à un violent mal aux cheveux. Il se passait les doigts dans les crins, il avait la bouche pâteuse des lendemains de culotte, encore un peu allumé malgré ses dix heures de sommeil. Et il se plaignait, les poings serrés. Nom de Dieu! sa pauvre mère qu'il aimait tant, la voilà qui était partie! Ah! qu'il avait mal au crâne, ça l'achèverait! Une vraie perruque de braise sur sa tête, et son coeur avec ça qu'on lui arrachait maintenant! Non, le sort n'était pas juste de s'acharner ainsi après un homme!

Allons, du courage, mon vieux, dit Lantier en le relevant. Il faut se remettre.

Il lui versait un verre de vin, mais Coupeau refusa de boire.

Qu'estce que j'ai donc? j'ai du cuivre dans le coco... C'est maman, c'est quand je l'ai vue, j'ai eu le goût du cuivre...Maman, mon Dieu! maman, maman...

Et il recommença à pleurer comme un enfant. Il but tout de même le verre de vin, pour éteindre le feu qui lui brûlait la poitrine. Lantier fila bientôt, sous le prétexte d'aller prévenir la famille et de passer à la mairie faire la déclaration. Il avait besoin de prendre l'air. Aussi ne se pressatil pas, fumant des cigarettes, goûtant le froid vif de la matinée. En sortant de chez madame Lerat, il entra même dans une crèmerie des Batignolles prendre une tasse de café bien chaud. Et il resta là une bonne heure, à réfléchir.

Cependant, dès neuf heures, la famille se trouva réunie dans la boutique, dont on laissait les volets fermés. Lorilleux ne pleura pas; d'ailleurs, il avait de l'ouvrage pressé, il remonta presque tout de suite à son atelier, après s'être dandiné un instant avec une figure de circonstance. Madame Lorilleux et madame Lerat avaient embrassé les Coupeau et se tamponnaient les yeux, où de petites larmes roulaient. Mais la première, quand elle eut jeté un coup d'oeil rapide autour de la morte, haussa brusquement la voix pour dire que ça n'avait pas de bon sens, que jamais on ne laissait auprès d'un corps une lampe allumée; il fallait de la chandelle, et l'on envoya Nana acheter un paquet de chandelles, des grandes. Ah bien! on pouvait mourir chez la Banban, elle vous arrangerait d'une drôle de façon! Quelle cruche, ne pas savoir seulement se conduire avec un mort! Elle n'avait donc enterré personne dans sa vie? Madame Lerat dut monter chez les voisines pour emprunter un crucifix; elle en rapporta un trop grand, une croix de bois noir où était cloué un Christ de carton peint, qui barra toute la poitrine de maman Coupeau, et dont le poids semblait l'écraser. Ensuite, on chercha de l'eau bénite; mais personne n'en avait, ce fut Nana qui courut de nouveau jusqu'à l'église en prendre une bouteille. En un tour de main, le cabinet eut une autre tournure; sur une petite table, une chandelle brûlait, à côté d'un verre plein d'eau bénite, dans lequel trempait une branche de buis. Maintenant, si du monde venait, ce serait propre, au moins. Et l'on disposa les chaises en rond, dans la boutique, pour recevoir.

Lantier rentra seulement à onze heures. Il avait demandé des renseignements au bureau des pompes funèbres.

La bière est de douze francs, ditil. Si vous voulez avoir une messe, ce sera dix francs de plus. Enfin, il y a le corbillard, qui se paie suivant les ornements...

Oh! c'est bien inutile, murmura madame Lorilleux, en levant la tête d'un air surpris et inquiet. On ne ferait pas revenir maman, n'estce pas?... Il faut aller selon sa bourse.

Sans doute, c'est ce que je pense, reprit le chapelier. J'ai seulement pris les chiffres pour votre gouverne... Ditesmoi ce que vous désirez; après le déjeuner, j'irai commander.

On parlait à demivoix, dans le petit jour qui éclairait la pièce par les fentes des volets. La porte du cabinet restait grande ouverte; et, de cette ouverture béante, sortait le gros silence de la mort. Des rires d'enfants montaient dans la cour, une ronde de gamines tournait, au pâle soleil d'hiver. Tout à coup, on entendit Nana, qui s'était échappée de chez les Boche, où on l'avait envoyée. Elle commandait de sa voix aiguë, et les talons battaient les pavés, tandis que ces paroles chantées s'envolaient avec un tapage d'oiseaux braillards:

Notre âne, notre âne,
Il a mal à la patte.
Madame lui a fait faire
Un joli patatoire,
Et des souliers lilas, la, la,
Et des souliers lilas!
Gervaise attendit pour dire à son tour:

Nous ne sommes pas riches, bien sûr; mais nous voulons encore nous conduire proprement... Si maman Coupeau ne nous a rien laissé, ce n'est pas une raison pour la jeter dans la terre comme un chien.... Non, il faut une messe, avec un corbillard assez gentil....

Et qui estce qui paiera? demanda violemment madame Lorilleux. Pas nous, qui avons perdu de l'argent la semaine dernière; pas vous non plus, puisque vous êtes ratissés.... Ah! vous devriez voir pourtant où ça vous a conduits, de chercher à épater le monde!

Coupeau, consulté, bégaya, avec un geste de profonde indifférence; il se rendormait sur sa chaise. Madame Lerat dit qu'elle paierait sa part. Elle était de l'avis de Gervaise, on devait se montrer propre. Alors, toutes deux, sur un bout de papier, elles calculèrent: en tout, ça monterait à quatrevingtdix francs environ, parce qu'elles se décidèrent, après une longue explication, pour un corbillard orné d'un étroit lambrequin.

Nous sommes trois, conclut la blanchisseuse. Nous donnerons chacune trente francs. Ce n'est pas la ruine.

Mais madame Lorilleux éclata, furieuse.

Eh bien! moi, je refuse, oui, je refuse!... Ce n'est pas pour les trente francs. J'en donnerais cent mille, si je les avais, et s'ils devaient ressusciter maman.... Seulement, je n'aime pas les orgueilleux. Vous avez une boutique, vous rêvez de crâner devant le quartier. Mais nous n'entrons pas là dedans, nous autres. Nous ne posons pas.... Oh! vous vous arrangerez. Mettez des plumes sur le corbillard, si ça vous amuse.

On ne vous demande rien, finit par répondre Gervaise. Lorsque je devrais me vendre moimême, je ne veux avoir aucun reproche à me faire. J'ai nourri maman Coupeau sans vous, je l'enterrerai bien sans vous... Déjà une fois, je ne vous l'ai pas mâché: je ramasse les chats perdus, ce n'est pas pour laisser votre mère dans la crotte.

Alors, madame Lorilleux pleura, et Lantier dut l'empêcher de partir. La querelle devenait si bruyante, que madame Lerat, poussant des chut! énergiques, crut devoir aller doucement dans le cabinet, et jeta sur la morte un regard fâché et inquiet, comme si elle craignait de la trouver éveillée, écoutant ce qu'on discutait à côté d'elle. A ce moment, la ronde des petites filles reprenait dans la cour, le filet de voix perçant de Nana dominait les autres.

Notre âne, notre âne,
Il a bien mal au ventre.

Madame lui a fait faire
Un joli ventrouilloire,
Et des souliers lilas, la, la,
Et des souliers lilas!

Mon Dieu! que ces enfants sont énervants, avec leur chanson! dit à Lantier Gervaise toute secouée et près de sangloter d'impatience et de tristesse. Faitesles donc taire, et reconduisez Nana chez la concierge à coups de pied quelque part!

Madame Lerat et madame Lorilleux s'en allèrent déjeuner en promettant de revenir. Les Coupeau se mirent à table, mangèrent de la charcuterie, mais sans faim, en n'osant seulement pas taper leur fourchette. Ils étaient très ennuyés, hébétés, avec cette pauvre maman Coupeau qui leur pesait sur les épaules et leur paraissait emplir toutes les pièces. Leur vie se trouvait dérangée. Dans le premier moment, ils piétinaient sans trouver les objets, ils avaient une courbature, comme au lendemain d'une noce. Lantier reprit tout de suite la porte pour retourner aux pompes funèbres, emportant les trente francs de madame Lerat et soixante francs que Gervaise était allée emprunter à Goujet, en cheveux, pareille à une folle. L'aprèsmidi, quelques visites arrivèrent, des voisines mordues de curiosité, qui se présentaient soupirant, roulant des yeux éplorés; elles entraient dans le cabinet, dévisageaient la morte, en faisant un signe de croix et en secouant le brin de buis trempé d'eau bénite; puis, elles s'asseyaient dans la boutique, où elles parlaient de la chère femme, interminablement, sans se lasser de répéter la même phrase pendant des heures. Mademoiselle Remanjou avait remarqué que son oeil droit était resté ouvert, madame Gaudron s'entêtait à lui trouver une belle carnation pour son âge, et madame Fauconnier restait stupéfaite de lui avoir vu manger son café, trois jours auparavant. Vrai, on claquait vite, chacun pouvait graisser ses bottes. Vers le soir, les Coupeau commençaient à en avoir assez. C'était une trop grande affliction pour une famille, de garder un corps si longtemps. Le gouvernement aurait bien dû faire une autre loi làdessus. Encore toute une soirée, toute une nuit et toute une matinée, non! ça ne finirait jamais. Quand on ne pleure plus, n'estce pas? le chagrin tourne à l'agacement, on finirait par mal se conduire. Maman Coupeau, muette et raide au fond de l'étroit cabinet, se répandait de plus en plus dans le logement, devenait d'un poids qui crevait le monde. Et la famille, malgré elle, reprenait son traintrain, perdait de son respect.

Vous mangerez un morceau avec nous, dit Gervaise à madame Lerat et à madame Lorilleux, lorsqu'elles reparurent. Nous sommes trop tristes, nous ne nous quitterons pas.

On mit le couvert sur l'établi. Chacun, en voyant les assiettes, songeait aux gueuletons qu'on avait faits là. Lantier était de retour. Lorilleux descendit. Un pâtissier venait d'apporter une tourte, car la blanchisseuse n'avait pas la tête à s'occuper de cuisine. Comme on s'asseyait, Boche entra dire que M. Marescot demandait à se présenter, et le propriétaire se présenta, très grave, avec sa large décoration sur sa redingote. Il salua en silence, alla droit au cabinet, où il s'agenouilla. Il était d'une grande piété; il pria d'un air recueilli de curé, puis traça une croix en l'air, en aspergeant le corps avec la branche de buis. Toute la famille, qui avait quitté la table, se tenait debout, fortement impressionnée. M. Marescot, ayant achevé ses dévotions, passa dans la boutique et dit aux Coupeau:

Je suis venu pour les deux loyers arriérés. Êtesvous en mesure?

Non, monsieur, pas tout à fait, balbutia Gervaise, très contrariée d'entendre parler de ça devant les Lorilleux. Vous comprenez, avec le malheur qui nous arrive...

Sans doute, mais chacun a ses peines, reprit le propriétaire en élargissant ses doigts immenses d'ancien ouvrier. Je suis bien fâché, je ne puis attendre davantage... Si je ne suis pas payé aprèsdemain matin, je serai forcé d'avoir recours à une expulsion.

Gervaise joignit les mains, les larmes aux yeux, muette et l'implorant. D'un hochement énergique de sa grosse tête osseuse, il lui fit comprendre que les supplications étaient inutiles. D'ailleurs, le respect dû aux morts interdisait toute discussion. Il se retira discrètement, à reculons.

Mille pardons de vous avoir dérangés, murmuratil. Aprèsdemain matin, n'oubliez pas.

Et, comme en s'en allant il passait de nouveau devant le cabinet, il salua une dernière fois le corps d'une génuflexion dévote, à travers la porte grande ouverte.

On mangea d'abord vite, pour ne pas paraître y prendre du plaisir. Mais, arrivé au dessert, on s'attarda, envahi d'un besoin de bienêtre. Par moments, la bouche pleine, Gervaise ou l'une des deux soeurs se levait, allait jeter un coup d'oeil dans le cabinet, sans même lâcher sa serviette; et quand elle se rasseyait, achevant sa bouchée, les autres la regardaient une seconde, pour voir si tout marchait bien, à côté. Puis, les dames se dérangèrent moins souvent, maman Coupeau fut oubliée. On avait fait un baquet de café, et du trèsfort, afin de se tenir éveillé toute la nuit. Les Poisson vinrent sur les huit heures. On les invita à en boire un verre. Alors, Lantier, qui guettait le visage de Gervaise, parut saisir une occasion attendue par lui depuis le matin. A propos de la saleté des propriétaires qui entraient demander de l'argent dans les maisons où il y avait un mort, il dit brusquement:

C'est un jésuite, ce salaud, avec son air de servir la messe!...
Mais, moi, à votre place, je lui planterais là sa boutique.
Gervaise, éreintée de fatigue, molle et énervée, répondit en s'abandonnant:

Oui, bien sûr, je n'attendrai pas les hommes de loi.... Ah! j'en ai plein le dos, plein le dos. Les Lorilleux, jouissant à l'idée que la Banban n'aurait plus de magasin, l'approuvèrent beaucoup. On ne se doutait pas de ce que coûtait une boutique. Si elle ne gagnait que trois francs chez les autres, au moins elle n'avait pas de frais, elle ne risquait pas de perdre de grosses sommes. Ils firent répéter cet argumentlà à Coupeau, en le poussant; il buvait beaucoup, il se maintenait dans un attendrissement continu, pleurant tout seul dans son assiette. Comme la blanchisseuse semblait se laisser convaincre, Lantier cligna les yeux, en regardant les Poisson. Et la grande Virginie intervint, se montra très aimable.

Vous savez, on pourrait s'entendre. Je prendrais la suite du bail, j'arrangerais votre affaire avec le propriétaire... Enfin, vous seriez toujours plus tranquille.

Non, merci, déclara Gervaise, qui se secoua, comme prise d'un frisson. Je sais où trouver les termes, si je veux. Je travaillerai; j'ai mes deux bras, Dieu merci! pour me tirer d'embarras.

On causera de ça plus tard, se hâta de dire le chapelier. Ce n'est pas convenable, ce soir... Plus tard, demain, par exemple.

A ce moment, madame Lerat, qui était allée dans le cabinet, poussa un léger cri. Elle avait eu peur, parce qu'elle avait trouvé la chandelle éteinte, brûlée jusqu'au bout. Tout le monde s'occupa à en rallumer une autre; et l'on hochait la tête, en répétant que ce n'était pas bon signe, quand la lumière s'éteignait auprès d'un mort.

La veillée commença. Coupeau s'était allongé, pas pour dormir, disaitil, pour réfléchir; et il ronflait cinq minutes après. Lorsqu'on envoya Nana coucher chez les Boche, elle pleura; elle se régalait depuis le matin, à l'espoir d'avoir bien chaud dans le grand lit de son bon ami Lantier. Les Poisson restèrent jusqu'à minuit. On avait fini par faire du vin à la française, dans un saladier, parce que le café donnait trop sur les nerfs de ces dames. La conversation tournait aux effusions tendres. Virginie parlait de la campagne: elle aurait voulu être enterrée au coin d'un bois avec des fleurs des champs sur sa tombe. Madame Lerat gardait déjà, dans son armoire, le drap pour l'ensevelir, et elle le parfumait toujours d'un bouquet de lavande; elle tenait à avoir une bonne odeur sous le nez, quand elle mangerait les pissenlits par la racine. Puis, sans transition, le sergent de ville raconta qu'il avait arrêté une grande belle fille le matin, qui venait de voler dans la boutique d'un charcutier; en la déshabillant chez le commissaire, on lui avait trouvé dix saucissons pendus autour du corps, devant et derrière. Et, madame Lorilleux ayant dit d'un air de dégoût qu'elle n'en mangerait pas, de ces saucissonslà, la société s'était mise à rire doucement. La veillée s'égaya, en gardant les convenances.

Mais comme on achevait le vin à la française, un bruit singulier, un ruissellement sourd, sortit du. cabinet. Tous levèrent la tête, se regardèrent.

Ce n'est rien, dit tranquillement Lantier, en baissant la voix.
Elle se vide.
L'explication fit hocher la tête, d'un air rassuré, et la compagnie reposa les verres sur la table.

Enfin, les Poisson se retirèrent. Lantier partit avec eux: il allait chez un ami, disaitil, pour laisser son lit aux dames, qui pourraient s'y reposer une heure, chacune à son tour. Lorilleux monta se coucher tout seul, en répétant que ça ne lui était pas arrivé depuis son mariage. Alors, Gervaise et les deux soeurs, restées avec Coupeau endormi, s'organisèrent auprès du poêle, sur lequel elles tinrent du café chaud. Elles étaient, là, pelotonnées, pliées en deux, les mains sous leur tablier, le nez audessus du feu, à causer très bas, dans le grand silence du quartier. Madame Lorilleux geignait: elle n'avait pas de robe noire, elle aurait pourtant voulu éviter d'en acheter une, car ils étaient bien gênés, bien gênés; et elle questionna Gervaise, demandant si maman Coupeau ne laissait pas une jupe noire, cette jupe qu'on lui avait donnée pour sa fête. Gervaise dut aller chercher la jupe. Avec un pli à la taille, elle pourrait servir. Mais madame Lorilleux voulait aussi du vieux linge, parlait du lit, de l'armoire, des deux chaises, cherchait des yeux les bibelots qu'il fallait partager. On manqua se fâcher. Madame Lerat mit la paix; elle était plus juste: les Coupeau avaient eu la charge de la mère, ils avaient bien gagné ses quatre guenilles. Et, toutes trois, elles s'assoupirent de nouveau audessus du poêle, dans des ragots monotones. La nuit leur semblait terriblement longue. Par moments, elles se secouaient, buvaient du café, allongeaient la tête dans le cabinet, où la chandelle, qu'on ne devait pas moucher, brûlait avec une flamme rouge et triste, grossie par les champignons charbonneux de la mèche. Vers le matin, elles grelottaient, malgré la forte chaleur du poêle. Une angoisse, une lassitude d'avoir trop causé, les suffoquaient, la langue sèche, les yeux malades. Madame Lerat se jeta sur le lit de Lantier et ronfla comme un homme; tandis que les deux autres, la tête tombée et touchant les genoux, dormaient devant le feu. Au petit jour, un frisson les réveilla. La chandelle de maman Coupeau venait encore de s'éteindre. Et, comme, dans l'obscurité, le ruissellement sourd recommençait, madame Lorilleux donna l'explication à voix haute, pour se tranquilliser ellemême.

Elle se vide, répétatelle, en allumant une autre chandelle.

L'enterrement était pour dix heures et demie. Une jolie matinée, à mettre avec la nuit et avec la journée de la veille! C'estàdire que Gervaise, tout en n'ayant pas un sou, aurait donné cent francs à celui qui serait venu prendre maman Coupeau trois heures plus tôt.

Non, on a beau aimer les gens, ils sont trop lourds, quand ils sont morts; et même plus on les aime, plus on voudrait se vite débarrasser d'eux.

Une matinée d'enterrement est par bonheur pleine de distractions. On a toutes sortes de préparatifs à faire. On déjeuna d'abord. Puis, ce fut justement le père Bazouge, le croquemort du sixième, qui apporta la bière et le sac de son. Il ne dessoûlait pas, ce brave homme. Ce jourlà, à huit heures, il était encore tout rigolo d'une cuite prise la veille.

Voilà, c'est pour ici, n'estce pas? ditil.

Et il posa la bière, qui eut un craquement de boîte neuve.

Mais, comme il jetait à côté le sac de son, il resta les yeux écarquillés, la bouche ouverte, en apercevant Gervaise devant lui.

Pardon, excuse, je me trompe, balbutiatil. On m'avait dit que c'était pour chez vous.

Il avait déjà repris le sac, la blanchisseuse dut lui crier:

Laissez donc ça, c'est pour ici.

Ah! tonnerre de Dieu! faut s'expliquer! repritil en se tapant sur la cuisse. Je comprends, c'est la vieille...

Gervaise était devenue toute blanche. Le père Bazouge avait apporté la bière pour elle. Il continuait se montrant galant, cherchant à s'excuser:

N'estce pas? on racontait hier qu'il y en avait une de partie, au rezdechaussée. Alors, moi, j'avais cru... Vous savez, dans notre métier, ces choseslà, ça entre par une oreille et ça sort par l'autre... Je vous fais tout de même mon compliment. Hein? le plus tard, c'est encore le meilleur, quoique la vie ne soit pas toujours drôle, ah! non, par exemple!

Elle l'écoutait, se reculait, avec la peur qu'il ne la saisît de ses grandes mains sales, pour l'emporter dans sa boîte. Déjà une fois, le soir de ses noces, il lui avait dit en connaître des femmes, qui le remercieraient, s'il montait les prendre. Eh bien! elle n'en était pas là, ça lui faisait froid dans l'échine. Son existence s'était gâtée, mais elle ne voulait pas s'en aller si tôt; oui, elle aimait mieux crever la faim pendant des années, que de crever la mort, l'histoire d'une seconde.

Il est poivre, murmuratelle d'un air de dégoût mêlé d'épouvante. L'administration devrait au moins ne pas envoyer des pochards. On paye assez cher.

Alors, le croquemort se montra goguenard et insolent.

Dites donc, ma petite mère, ce sera pour une autre fois. Tout à votre service, entendezvous! Vous n'avez qu'à me faire signe. C'est moi qui suis le consolateur des dames... Et ne crache pas sur le père Bazouge, parce qu'il en a tenu dans ses bras de plus chic que toi, qui se sont laissé arranger sans se plaindre, bien contentes de continuer leur dodo à l'ombre.

Taisezvous, père Bazouge! dit sévèrement Lorilleux, accouru au bruit des voix. Ce ne sont pas des plaisanteries convenables. Si l'on se plaignait, vous seriez renvoyé... Allons, fichez le camp, puisque vous ne respectez pas les principes.

Le croquemort s'éloigna, mais on l'entendit longtemps sur le trottoir, qui bégayait:

De quoi, les principes!... Il n'y a pas de principes... il n'y a pas de principes... il n'y a que l'honnêteté!

Enfin, dix heures sonnèrent. Le corbillard était en retard. Il y avait déjà du monde dans la boutique, des amis et des voisins, M. Madinier, MesBottes, madame Gaudron, mademoiselle Remanjou; et, toutes les minutes, entre les volets fermés, par l'ouverture béante de la porte, une tête d'homme ou de femme s'allongeait, pour voir si ce lambin de corbillard n'arrivait pas. La famille, réunie dans la pièce du fond, donnait des poignées de mains. De courts silences se faisaient, coupés de chuchotements rapides, une attente agacée et fiévreuse, avec des courses brusques de robe, madame Lorilleux qui avait oublié son mouchoir, ou bien madame Lerat qui cherchait un paroissien à emprunter. Chacun, en arrivant, apercevait au milieu du cabinet, devant le lit, la bière ouverte; et, malgré soi, chacun restait à l'étudier du coin de l'oeil, calculant que jamais la grosse maman Coupeau ne tiendrait là dedans. Tout le monde se regardait, avec cette pensée dans les yeux, sans se la communiquer. Mais, il y eut une poussée à la porte de la rue. M. Madinier vint annoncer d'une voix grave et contenue, en arrondissant les bras:

Les voici!

Ce n'était pas encore le corbillard. Quatre croquemorts entrèrent à la file, d'un pas pressé, avec leurs faces rouges et leurs mains gourdes de déménageurs, dans le noir pisseux de leurs vêtements, usés et blanchis au frottement des bières. Le père Bazouge marchait le premier, très soûl et très convenable; dès qu'il était à la besogne, il retrouvait son aplomb. Ils ne prononcèrent pas un mot, la tête un peu basse, pesant déjà maman

Coupeau du regard. Et ça ne traîna pas, la pauvre vieille fut emballée, le temps d'éternuer. Le plus petit, un jeune qui louchait, avait vidé le son dans le cercueil, et l'étalait en le pétrissant, comme s'il voulait faire du pain. Un autre, un grand maigre celuilà, l'air farceur, venait d'étendre le drap pardessus. Puis, une, deux, allezy! tous les quatre saisirent le corps, l'enlevèrent, deux aux pieds, deux à la tête. On ne retourne pas plus vite une crêpe. Les gens qui allongeaient le cou purent croire que maman Coupeau était sautée d'ellemême dans la boîte. Elle avait glissé là comme chez elle, oh! tout juste, si juste, qu'on avait entendu son frôlement contre le bois neuf. Elle touchait de tous les côtés, un vrai tableau dans un cadre. Mais enfin elle y tenait, ce qui étonna les assistants; bien sûr, elle avait dû diminuer depuis la veille. Cependant les croquemorts s'étaient relevés et attendaient; le petit louche prit le couvercle, pour inviter la famille à faire les derniers adieux; tandis que Bazouge mettait des clous dans sa bouche et apprêtait le marteau. Alors, Coupeau, ses deux soeurs, Gervaise, d'autres encore, se jetèrent à genoux, embrassèrent la maman qui s'en allait, avec de grosses larmes, dont les gouttes chaudes tombaient et roulaient sur ce visage raidi, froid comme une glace. Il y avait un bruit prolongé de sanglots. Le couvercle s'abattit, le père Bazouge enfonça ses clous avec le chic d'un emballeur, deux coups pour chaque pointe; et personne ne s'écouta pleurer davantage dans ce vacarme de meuble qu'on répare. C'était fini. On partait.

S'il est possible de faire tant d'esbrouffe, dans un moment pareil! dit madame Lorilleux à son mari, en apercevant le corbillard devant la porte.

Le corbillard révolutionnait le quartier. La tripière appelait les garçons de l'épicier, le petit horloger était sorti sur le trottoir, les voisins se penchaient aux fenêtres. Et tout ce monde causait du lambrequin à franges de coton blanches. Ah! les Coupeau auraient mieux fait de payer leurs dettes! Mais, comme le déclaraient les Lorilleux, lorsqu'on a de l'orgueil, ça sort partout et quand même.

C'est honteux! répétait au même instant Gervaise, en parlant du chaîniste et de sa femme. Dire que ces rapiats n'ont pas même apporté un bouquet de violettes pour leur mère!

Les Lorilleux, en effet, étaient venus les mains vides. Madame Lerat avait donné une couronne de fleurs artificielles. Et l'on mit encore sur la bière une couronne d'immortelles et un bouquet achetés par les Coupeau. Les croquemorts avaient dû donner un fameux coup d'épaule pour hisser et charger le corps. Le cortège fut lent à s'organiser. Coupeau et Lorilleux, en redingote, le chapeau à la main, conduisaient le deuil; le premier dans son attendrissement que deux verres de vin blanc, le matin, avaient entretenu, se tenait au bras de son beaufrère, les jambes molles et les cheveux malades. Puis marchaient les hommes, M. Madinier, très grave, tout en noir, MesBottes, un paletot sur sa blouse, Boche, dont le pantalon jaune fichait un pétard, Lantier, Gaudron, BibilaGrillade, Poisson, d'autres encore. Les dames arrivaient ensuite, au premier rang madame Lorilleux qui traînait la jupe retapée de la morte, madame Lerat cachant sous un châle son deuil improvisé, un caraco garni de lilas, et à la file Virginie, madame Gaudron, madame Fauconnier, mademoiselle Remanjou, tout le reste de la queue. Quand le corbillard s'ébranla et descendit lentement la rue de la Goutted'Or, au milieu des signes de croix et des coups de chapeau, les quatre croquemorts prirent la tête, deux en avant, les deux autres à droite et à gauche. Gervaise était restée pour fermer la boutique. Elle confia Nana à madame Boche, et elle rejoignit le convoi en courant, pendant que la petite, tenue par la concierge, sous le perche, regardait d'un oeil profondément intéressé sa grand'mère disparaître au fond de la rue, dans cette belle voiture.

Juste au moment où la blanchisseuse essoufflée rattrapait la queue, Goujet arrivait de son côté. Il se mit avec les hommes; mais il se retourna, et la salua d'un signe de tête, si doucement, qu'elle se sentit tout d'un coup très malheureuse et qu'elle fut reprise par les larmes. Elle ne pleurait plus seulement maman Coupeau, elle pleurait quelque chose d'abominable, qu'elle n'aurait pas pu dire, et qui l'étouffait. Durant tout le trajet, elle tint son mouchoir appuyé contre ses yeux. Madame Lorilleux, les joues sèches et enflammées, la regardait de côté, en ayant l'air de l'accuser de faire du genre.

A l'église, la cérémonie fut vite bâclée. La messe traîna pourtant un peu, parce que le prêtre était très vieux. MesBottes et BibilaGrillade avaient préféré rester dehors, à cause de la quête. M. Madinier, tout le temps, étudia les curés, et il communiquait à Lantier ses observations: ces farceurslà, en crachant leur latin, ne savaient seulement pas ce qu'ils dégoisaient; ils vous enterraient une personne comme ils vous l'auraient baptisée ou mariée, sans avoir dans le coeur le moindre sentiment. Puis, M. Madinier blâma ce tas de cérémonies, ces lumières, ces voix tristes, cet étalage devant les familles. Vrai, on perdait les siens deux fois, chez soi et à l'église. Et tous les hommes lui donnaient raison, car ce fut encore un moment pénible, lorsque, la messe finie, il y eut un barbottement de prières, et que les assistants durent défiler devant le corps, en jetant de l'eau bénite. Heureusement, le cimetière n'était pas loin, le petit cimetière de la Chapelle, un bout de jardin qui s'ouvrait sur la rue Marcadet. Le cortège y arriva débandé, tapant les pieds, chacun causant de ses affaires. La terre dure sonnait, on aurait volontiers battu la semelle. Le trou béant, près duquel on avait posé la bière, était déjà tout gelé, blafard et pierreux comme une carrière à plâtre; et les assistants, rangés autour des monticules de gravats, ne trouvaient pas drôle d'attendre par un froid pareil, embêtés aussi de regarder le trou. Enfin, un prêtre en surplis sortit d'une maisonnette, il grelottait, on voyait son haleine fumer, à chaque « de profundis » qu'il lâchait. Au dernier signe de croix, il se sauva, sans avoir envie de recommencer. Le fossoyeur prit sa pelle; mais, à cause de la gelée, il ne détachait que de grosses mottes, qui battaient une jolie musique làbas au fond, un vrai bombardement sur le cercueil, une enfilade de coups de canon à croire que le bois se fendait. On a beau être égoïste, cette musiquelà vous casse l'estomac. Les larmes recommencèrent. On s'en allait, on était dehors, qu'on entendait encore les détonations. MesBottes, soufflant dans ses doigts, fit tout haut une remarque: Ah! tonnerre de Dieu! non! la pauvre maman Coupeau n'allait pas avoir chaud!

Mesdames et la compagnie, dit le zingueur aux quelques amis restés dans la rue avec la famille, si vous voulez bien nous permettre de vous offrir quelque chose...

Et il entra le premier chez un marchand de vin de la rue Marcadet, A la descente du cimetière. Gervaise, demeurée sur le trottoir, appela Goujet qui s'éloignait, après l'avoir saluée d'un nouveau signe de tête. Pourquoi n'acceptaitil pas un verre de vin? Mais il était pressé, il retournait à l'atelier. Alors, ils se regardèrent un moment sans rien dire.

Je vous demande pardon pour les soixante francs, murmura enfin la blanchisseuse. J'étais comme une folle, j'ai songé à vous...

Oh! il n'y a pas de quoi, vous êtes pardonnée, interrompit le forgeron. Et, vous savez, tout à votre service, s'il vous arrivait un malheur... Mais n'en dites rien à maman, parce qu'elle a ses idées, et que je ne veux pas la contrarier.

Elle le regardait toujours; et, en le voyant si bon, si triste, avec sa belle barbe jaune, elle fut sur le point d'accepter son ancienne proposition, de s'en aller avec lui, pour être heureux ensemble quelque part. Puis, il lui vint une autre mauvaise pensée, celle de lui emprunter ses deux termes, à n'importe quel prix. Elle tremblait, elle reprit d'une voix caressante:

Nous ne sommes pas fâchés, n'estce pas?

Lui, hocha la tête, en répondant:

Non, bien sûr, jamais nous ne serons fâchés... Seulement, vous comprenez, tout est fini.

Et il s'en alla à grandes enjambées, laissant Gervaise étourdie, écoutant sa dernière parole battre dans ses oreilles avec un bourdonnement de cloche. En entrant chez le marchand de vin, elle entendait sourdement au fond d'elle: « Tout est fini, eh bien! « tout est fini; je n'ai plus rien à faire, moi, si tout est fini! » Elle s'assit, elle avala une bouchée de pain et de fromage, vida un verre plein qu'elle trouva devant elle.

C'était, au rezdechaussée, une longue salle à plafond bas, occupée par deux grandes tables. Des litres, des quarts de pain, de larges triangles de brie sur trois assiettes, s'étalaient à la file. La société mangeait sur le pouce, sans nappe et sans couverts. Plus loin, près du poêle qui ronflait, les quatre croquemorts achevaient de déjeuner.

Mon Dieu! expliquait M. Madinier, chacun son tour. Les vieux font de la place aux jeunes.... Ça va vous sembler bien vide, votre logement, quand vous rentrerez.

Oh! mon frère donne congé, dit vivement madame Lorilleux. C'est une ruine, cette boutique.

On avait travaillé Coupeau. Tout le monde le poussait à céder le bail. Madame Lerat ellemême, très bien avec Lantier et Virginie depuis quelque temps, chatouillée par l'idée qu'ils devaient avoir un béguin l'un pour l'autre, parlait de faillite et de prison, en prenant des airs effrayés. Et, brusquement, le zingueur se fâcha, son attendrissement tournait à la fureur, déjà trop arrosé de liquide.

Écoute, criatil dans le nez de sa femme, je veux que tu m'écoutes! Ta sacrée tête fait toujours des siennes. Mais, cette fois, je suivrai ma volonté, je t'avertis!

Ah bien! dit Lantier, si jamais on la réduit par de bonnes paroles!
Il faudrait un maillet pour lui entrer ça dans le crâne.
Et tous deux tapèrent un instant sur elle. Ça n'empêchait pas les mâchoires de fonctionner. Le brie disparaissait, les litres coulaient comme des fontaines. Cependant, Gervaise mollissait sous les coups. Elle ne répondait rien, la bouche toujours pleine, se dépêchant, comme si elle avait eu très faim. Quand ils se lassèrent, elle leva doucement la tête, elle dit:

En voilà assez, hein? Je m'en fiche pas mal de la boutique! Je n'en veux plus... Comprenezvous, je m'en fiche! Tout est fini!

Alors, on redemanda du fromage et du pain, on causa sérieusement. Les Poisson prenaient le bail et offraient de répondre des deux termes arriérés. D'ailleurs, Boche acceptait l'arrangement, d'un air d'importance, au nom du propriétaire. Il loua même, séance tenante, un logement aux Coupeau, le logement vacant du sixième, dans le corridor des Lorilleux. Quant à Lantier, mon Dieu! il voulait bien garder sa chambre, si cela ne gênait pas les Poisson. Le sergent de ville s'inclina, ça ne le gênait pas du tout; on s'entend toujours entre amis, malgré les idées politiques. Et Lantier, sans se mêler davantage de la cession, en homme qui a conclu enfin sa petite affaire, se confectionna une énorme tartine de fromage de Brie; il se renversait, il la mangeait dévotement, le sang sous la peau, brûlant d'une joie sournoise, clignant les yeux pour guigner tour à tour Gervaise et Virginie.

Eh! père Bazouge! appela Coupeau, venez donc boire un coup. Nous ne sommes pas fiers, nous sommes tous des travailleurs.

Les quatre croquemorts, qui s'en allaient, rentrèrent pour trinquer avec la société. Ce n'était pas un reproche, mais la dame de tout à l'heure pesait son poids et valait bien un verre de vin. Le père Bazouge regardait fixement la blanchisseuse, sans lâcher un mot déplacé. Elle se leva, mal à l'aise, elle quitta les hommes qui achevaient de se cocarder. Coupeau, soûl comme une grive, recommençait à viauper et disait que c'était le chagrin.

Le soir, quand Gervaise se retrouva chez elle, elle resta abêtie sur une chaise. Il lui semblait que les pièces étaient désertes et immenses. Vrai, ça faisait un fameux débarras. Mais elle n'avait bien sûr pas laissé que maman Coupeau au fond du trou, dans le petit jardin de la rue Marcadet. Il lui manquait trop de choses, ça devait être un morceau de sa vie à elle, et sa boutique, et son orgueil de patronne, et d'autres sentiments encore, qu'elle avait enterrés ce jourlà. Oui, les murs étaient nus, son coeur aussi, c'était un déménagement complet, une dégringolade dans le fossé. Et elle se sentait trop lasse, elle se ramasserait plus tard, si elle pouvait.

A dix heures, en se déshabillant, Nana pleura, trépigna. Elle voulait coucher dans le lit de maman Coupeau. Sa mère essaya de lui faire peur; mais la petite était trop précoce, les morts lui causaient seulement une grosse curiosité; si bien que, pour avoir la paix, on finit par lui permettre de s'allonger à la place de maman Coupeau. Elle aimait les grands lits, cette gamine; elle s'étalait, elle se roulait. Cette nuitlà, elle dormit joliment bien, dans la bonne chaleur et les chatouilles du matelas de plume.

Milton Keynes UK
Ingram Content Group UK Ltd.
UKHW050718181023
430840UK00009B/301

9 791041 838219